Vydalo vydavateľstvo Svojtka & Co., s. r. o.,
Modrý chodník 13, 831 06 Bratislava
v roku 2008 z belgického vydania

Rozprávky o zvieratkách boli inšpirované ľudovými rozprávkami z celého sveta
Ilustrácie: Sandeep
Prvé slovenské vydanie.

ISBN 978-80-8107-054-9

Všetky tituly vydavateľstva nájdete
aj na internetovej stránke www.svojtka.sk.

Krátke rozprávky
o zvieratkách
pred spaním

Josette Gontier

OBSAH

O veveričke a levici

Malá sivá veverička bola oddanou služobníčkou manželky kráľa lesa – statnej levice. „Tie majú život! Celé dni len šantia," povzdychla si smutne, keď videla ostatné veveričky, ako bezstarostne poskakujú z konára na konár. „To ja sa nezastavím, nôžky si už necítim!" Utešoval ju iba sľub levice, že až zostarne, dostane ako prejav vďaky obrovský kôš orieškov, aby už nemusela nikdy pracovať a mohla len odpočívať.
Tak ubiehali týždne, mesiace a roky, až ten deň nastal a levica svoj sľub naozaj splnila – dala jej velikánsky kôš vrchovato naplnený orieškami. Ale čo to? Keď sa veverička chystala rozlúsknuť zaslúženú odmenu, zistila, že už jej nezostal ani jediný zúbok!
Chúďatko – tak dlho si odriekala, až bolo príliš neskoro!

Krokodílie želanie

V jednej zátoke žila krásna krokodília slečna. Mala nádhernú kožu so zlatistými šupinami, ktoré žiadna z jej kamarátok na koži nemala. Raz večer, keď zaspávala, začal sa jej snívať veľmi zvláštny sen. „Želala by som si, želala..." mrmlala zo spánku. Vtom sa jej v sne náhle objavil krokodílí kúzelník a spýtal sa: „Čo by si si vlastne želala?" Na to ona rozospato odpovedala: „Chcela by som mať ráno svoje najkrajšie šupiny na svojom vankúši." A hľa – nasledujúce ráno ju prebudili odlesky zlatých šupín, ktoré sa leskli na vankúši presne tak, ako si želala. Popoludní pozvala svoje kamarátky na návštevu a rozdelila im šupiny rovnakým dielom. Odvtedy všetci v zátoke vedeli, že táto krokodília slečna je nielen krásna, ale má aj dobré srdce, a to je viac než všetky zlaté šupiny sveta.

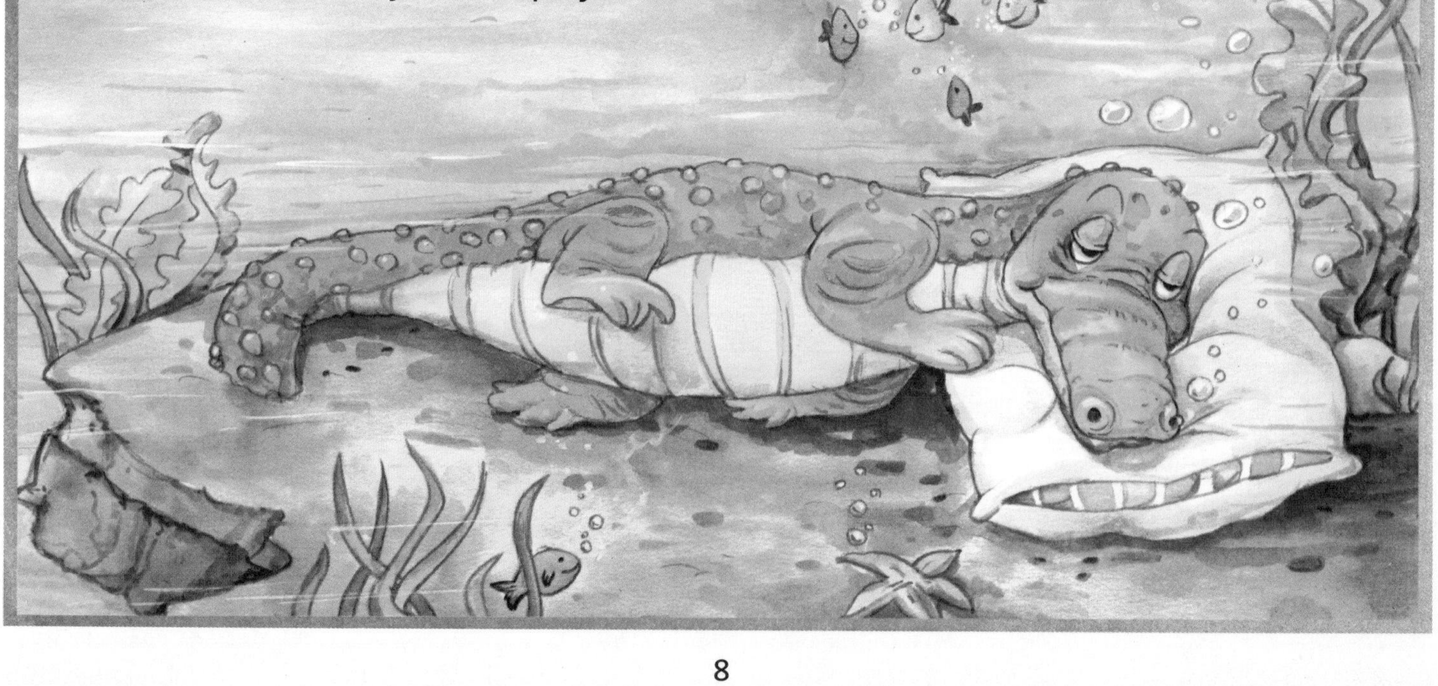

Zajac strachopud

Pod veľkou palmou žil jeden ustráchaný zajac. A ako to už býva, najradšej celé dni prespal v bezpečí svojej nory a len veľmi opatrne a bojazlivo vyliezal von. Jedného dňa opäť pokojne podriemkaval v nore, keď v tom susedka opica zhodila z palmy obrovský kokosový orech. Ach, to vám bola rana! Vydesený zajac vyštartoval z nory ako zmyslov zbavený, nepozeral ani napravo ani naľavo. Bezhlavo utekal preč a neustále kričal: „Panebože, zemetrasenie! Zachráň sa, kto môžeš!“ Najprv prebehol okolo jeleňa a stáda srniek. Jeleň to rýchlo bežal povedať tigrovi, ten slonovi, slon žirafe, žirafa líške, a tak sa tá poplašná správa rozšírila po celom lese ako blesk. Všetky zvieratká bezhlavo uháňali z lesa, keď vtom zahrmel burácajúci rev leva – kráľa lesa. „Stojte! Čo ste sa všetci zbláznili? Čoho sa tak bojíte? Všetky zvieratká sa úctivo zastavili. „Je tu zemetrasenie! Všetci zahynieme!“ vykríkla líška. „A kto vám to narozprával?“ rozhliadol sa pátravo lev, „To on! To on!“ kričali zvieratká a ukazovali na prikrčeného zajaca. „Poďte všetci za mnou! rozkázal lev a zvieratká ho nasledovali až k stromu, na ktorom sedela opica a zhadzovala jeden kokos za druhým. „Vidíte? Strach má veľké oči! Nabudúce viac premýšľajte, kým uveríte jednému strachopudovi!“ povedal pokojne lev a zvieratká sa naozaj zahanbili.

O malej prešibanej rybke

V istej rieke si spokojne nažívali malé rybky. Jedného dňa tam však priplávala veľká dravá ryba. Vyčkávala, čo sa kedy pohne. Predtým taká pokojná rieka sa zmenila na územie strachu – rybky radšej zostávali ukryté medzi chaluhami a bojazlivo ju pozorovali. Raz dostala tá najmenšia z rybiek úžasný nápad. „Predsa sa tu nebudeme ustrašene schovávať! Sme síce maličké, ale je nás veľa. Spomínate si, ako nám strýko sumec hovorieval, že v jednote je sila? Budeme plávať popri sebe, rybka vedľa rybky, a vytvoríme tak skupinu v tvare velikánskej ryby," navrhovala. „Ryba sa zľakne a odpláva!" Rybky boli nápadom nadšené, a aj keď sa troška báli, vytvorili húf a vyplávali oproti nepozvanému hosťovi. Keď veľká ryba uvidela túto obrovskú ozrutu, vystrašila sa a už jej nebolo. Rybky tak zvíťazili nad silnejším nepriateľom vďaka odvahe a dôvtipu.

Nie je všetko také, ako to vyzerá

Raz naďabil malý mravček pri svojej prechádzke na kuklu motýľa. „Chudáčik maličký!" vravel. „Aký ten má život! Iba visí bez pohybu a nemôže sa prebehnúť ako ja ... Mám naozaj šťastie že som mravec!" zamrmlal si a utekal ďalej. Uplynulo niekoľko dní, a práve keď sa mravček trápil s ťažkým nákladom, ovial ho jemný vánok. Mravček vzhliadol od práce a zbadal takého krásneho motýľa, že od úžasu onemel. „Dobrý deň, ty chudáčik maličký!" zasmial sa motýľ. „Nie sú to tvoje slová? Vidíš, ja teraz môžem lietať kam sa mi zachce, zatiaľ čo ty si a vždy budeš iba mravček!" dopovedal, veselo zamával nádhernými krídlami a už ho nebolo.

O dvoch žabkách

V jednom malom okrúhlom jazierku žila jedna žabka a v druhom ešte okrúhlejšom jazierku žila druhá žabka. Jazierka od seba oddeľoval obrovský kopec, cez ktorý nebolo vôbec vidno. Obe žabky sa v ten istý deň rozhodli, že je načase trocha sa porozhliadnuť po okolí a že najlepší rozhľad bude práve z veľkého kopca. Do batôžkov si zabalili desiatu a vyskackali na vrchol kopca. Ale aké bolo ich prekvapenie, keď sa hore stretli. To bolo stretnutie! Žabky o sebe vôbec nevedeli, a pritom boli takmer susedky! Dali sa do reči a rozprávali sa celé dlhé hodiny. „Už mi bolo v tom mojom jazierku smutno, som tam stále taká osamelá ..." posťažovala sa prvá žabka. „Celé mesiace nebol u mňa nikto na návšteve," prikyvovala druhá. „Tak buďme teda priateľky a budeme sa pravidelne navštevovať! Už nám nikdy nebude smutno!" vyriekla odrazu prvá žabka. Aj druhá žabka bola týmto nápadom nadšená. Rozprávali sa a rozprávali, a tak si ani nevšimli, že sa začína zmrákať. Objali sa, naplánovali si hneď na druhý deň spoločný výlet a odskákali každá do svojho jazierka. Bol to naozaj vzrušujúci deň plný nečakaných stretnutí.

S kamarátom je jednoducho život veselší – radosť dvojnásobná, starosť polovičná.

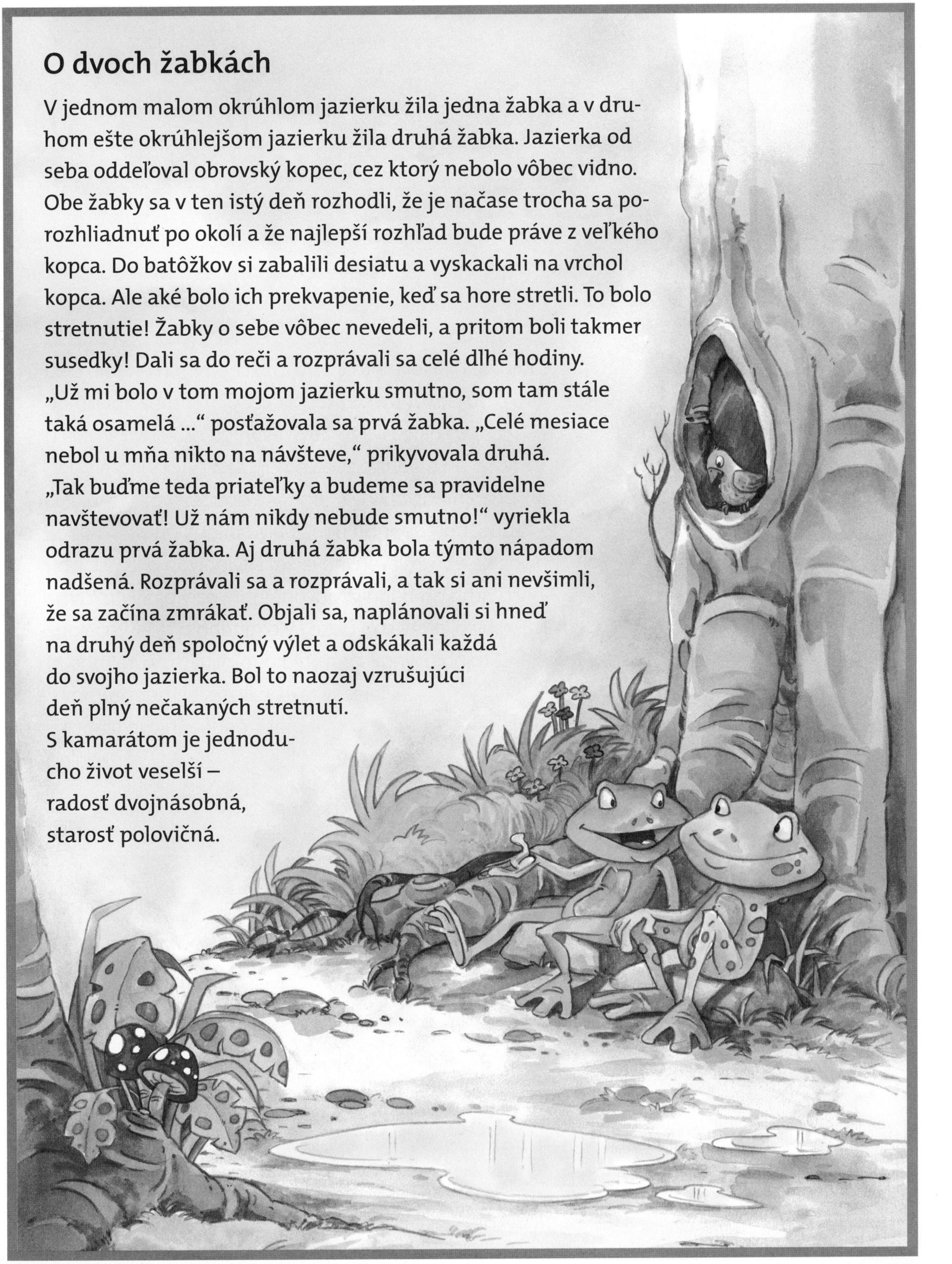

Nestrácaj zbytočne čas

Jedného dňa lovili kolibrík s volavkou ryby. Kolibrík lovil tie najmenšie a volavka zasa tie najväčšie ryby. Po chvíli už nebolo v rieke ani rybičky. „Poďme sa pretekať!" navrhol nadšene kolibrík. „Ten, kto najrýchlejšie doletí na najvyšší strom v lese, bude víťazom a budú mu navždy patriť všetky ryby v tejto rieke!" Volavka súhlasila. Roztiahla svoje veľké krídla, ale aj keď sa veľmi snažila, od zeme sa odlepiť nedokázala. „Ako tak pozerám, času mám naozaj dosť," zasmial sa kolibrík a poletoval medzi farebnými kvetmi sem a tam. Občas preletel okolo volavky. Bol si vedomý svojho náskoku a po niekoľkých posmešných poznámkach na adresu volavky sa rozhodol, že si ešte zdriemne. Volavka medzitým ďalej neúnavne mávala krídlami. Keď sa kolibrík naľakane prebudil, rýchlo sa pozrel na najvyšší strom v lese a musel si pretrieť oči, aby uveril tomu, čo uvidel – volavka sedela na tom úplne najvyššom konári a široko ďaleko bolo počuť jej víťazoslávny krik. Nuž teda, nie je dobré podceňovať protivníka. A od tých čias sa kolibríky živia iba sladkým nektárom z kvetov a volavky hodujú pri riekach, ktoré sú plné rýb.

Ostré zuby, krátky rozum

Malý srnček žil pri rieke plnej krokodílov. Vždy, keď sa priblížil k brehu, už naňho čakal ten najväčší zo všetkých krokodílov s otvorenou tlamou, v ktorej sa leskli obrovské ostré zubiská. Na druhom brehu rieky bol les plný chutných bobuliek. Najväčším želaním srnčeka bolo dostať sa na druhý breh. Krokodíl si takisto potajomky želal, aby sa srnček pokúsil rieku prejsť, a on by tak prišiel k chutnému obedu.

„Kráľ lesa ma poveril dôležitou úlohou – mám spočítať všetky krokodíly v rieke," oznámil jedného dňa srnček krokodílovi. „Prosím ťa, povedz svojim kamarátom, nech sa zoradia jeden vedľa druhého, pekne od jedného brehu k druhému. Ja vás potom spočítam," dával srnček dôležité pokyny. „Dobre, hneď ich zavolám. Nech kráľ vidí, koľko nás tu žije!" odpovedal krokodíl a tešil sa na hostinu. Všetky krokodíly sa teda poslušne zoradili, ako im srnček prikázal. A hop, hop, hop! Srnček v okamihu preskákal po krokodílích chrbtoch na druhý breh. „Ďakujem vám, kamaráti!" zvolal ešte na prekvapené krokodíly. „Iste mi prepáčite, ale dlhšie sa vám už venovať nemôžem. Čaká ma totiž veľká hostina!"

Múdry ocko žabiak

Bolo tak horúco, že aj čistinky a kaluže vysychali. A tak sa mladý žabiak so svojím ockom vydali hľadať nový domov, kde by sa im žilo lepšie. Doputovali až k jednej starej studni. „Pozri, ocko!" nadšene zvolal mladý žabiak. „Na dne studne je voda a krásne chladivé bahno. Toto je perfektné miesto! Skočme do studne a ubytujme sa tam!"
Už sa chystal skočiť dolu ... „Stoj! Počkaj chvíľku," vykríkol ocko žabiak. „Nebuď pojašený! Popremýšľaj, než niečo urobíš! Keď studňa vyschne, ako sa dostaneme von?" dodal ešte a pokračoval v ceste ďalej.

Korytnačka hudobníčka

Žila raz jedna korytnačka, ktorá nadovšetko zbožňovala hudbu a nádherne hrala na flautu. Všetky zvieratká ju nadšene počúvali. Raz večer odložila na chvíľu svoju flautu, aby sa po tom koncertovaní trocha ponaťahovala a nadýchla. Na strome, pod ktorým korytnačka s obľubou hrávala, bývala zlomyseľná opica. Využila chvíľku nepozornosti a šup – zmizla s flautou v korune stromu. Hrala však tak falošne, že si všetky zvieratká zapchávali uši a utekali.
Iba krab sa odvážil vyliezť na breh. Uvidel smutnú korytnačku a na konári rozjarenú opicu s flautou. Hneď mu bolo všetko jasné. Netrvalo dlho a práve vtedy, keď bola opica v najlepšom, uštipol ju krab klepetom do chvosta. „Jááj!" vykríkla od ľaku a pustila flautu priamo korytnačke do náručia. Od tých čias krab vylieza každý večer na breh a korytnačka mu rada koncertuje.

Ponáhľaj sa pomaly

Jedna márnivá ropucha rada uzatvárala stávky, ale iba vtedy, keď si bola istá, že vyhrá. A tak sa raz stavila so slimákom, kto sa rýchlejšie dostane do mesta. Slimák súhlasil a obaja sa vydali smerom k mestu. Ropucha si radostne poskakovala, zatiaľ čo slimák sa za ňou iba pomaličky vliekol. „Do skorého videnia," zavolala naňho posmešne ropucha. Podvečer dorazila k mestu, ale brány mesta už boli zatvorené. Ropucha sa rozhodla, že si do rána zdriemne. V noci konečne dorazil aj slimák. Kým ropucha hlboko spala, slimák nelenil a pomaličky, ale neúnavne liezol cez mestské hradby. Hneď ako sa ráno brány mesta otvorili, doskákala ropucha na námestie a neverila vlastným očiam – slimák ju tam už čakal a veselo si pohvizdoval!

Sup, lev a diviak

V jeden horúci letný deň sa pri malom prameni stretli lev s diviakom. Bolo tam však miesto na pitie iba pre jedného, a tak sa začali obaja hádať, kto z nich sa napije prvý. Keď sa nedohodli začala divoká bitka. Náhle sa však zarazili – nad hlavami im krúžil sup. „Aha, žrút mrcín! Vyčkáva, kto z nás v nezmyselnom boji zahynie, a on si potom na ňom pochutí!" riekol udychčaný diviak. „Akí sme to hlupáci! Taká zbytočná smrť by potešila naozaj iba supa!" povedal lev, ustúpil diviakovi a ten sa napil ako prvý. Supovi nezostávalo nič iné ako naprázdno odletieť. Je skrátka lepšie rozdeliť sa, nemyslíte?

Komu niet rady, tomu niet pomoci

V jednom mravenisku žil veľmi múdry maličký mravček. Na rozdiel od svojich kamarátov vždy pozorne sledoval čo sa deje v mravenisku, ale aj v jeho okolí. Jedného dňa pribehlo niekoľko mravcov do mraveniska a doniesli med. Všetky mravce sa ihneď poslušne pustili do práce a začali med prenášať. V tej chvíli zdvihol múdry mravček hlavu a uvidel niečo naozaj desivé. Voľajaký veľký sivý tunel sa skláňal nad mraveniskom a nasával jedného mravca za druhým. „Pane Bože, pozri sa, čo sa to deje?!" skríkol mravček na mravca – vojaka, ktorý velil celému zástupu mravcov. „Nezdržiavaj a rýchlo do práce!" okríkol ho vojak. Sotva to však dopovedal, zmizol v tom veľkom tuneli spolu s ďalšími mravcami. „Nechajte med medom a rýchlo utekajte!" volal na všetkých ostatných malý mravček. Nikto mu však nevenoval pozornosť, a tak si mravčiar pochutil na všetkých mravcoch. Zachránil sa iba malý múdry mravček, ktorý stihol včas utiecť.

Ako malý zajac prekabátil veľkého slona

Divoké zajace boli v ohrození. K ich jazeru, kde mali svoje nory, sa blížilo stádo slonov. Kadiaľ prechádzali, tam po nich zostávala spúšť, všetky zvieratá pred nimi utekali. A tak vyslali zajace prešibaného posla za sloním kráľom. Zajačí posol sa musel vyšplhať na skalu, aby ho slon vôbec počul. „Vaše kráľovské Veličenstvo," kričal zajac slonovi do ucha. „Môj kráľ – vznešený a mocný Mesiac – ma za vami posiela s odkazom, že ste vy aj vaše slony prekročili všetky medze. Máte sa ihneď pozrieť do jazera." Slon sa teda vybral k brehu jazera a zajac sa hlboko poklonil odrazu Mesiaca na vodnej hladine. Slon okamžite tak ako vždy ponoril svoj chobot do vody, a tým odraz Mesiaca rozvlnil. Keďže bola výnimočne temná noc a bol spln, vyzeral odraz Mesiaca naozaj veľkolepo, až strašidelne. „Vidíte, ako môj pán zúri? Práve ste sa totiž bez povolenia napili z jeho jazera!" bedákal naoko zajac. Slon zneistel. „Všetci rýchlo odíďte. Zachráňte sa. Hnev môjho pána je strašný!" zúfalo kričal zajac. „Odkáž svojmu kráľovi, že prosíme o prepáčenie a že ho už viac nebudeme rušiť," zmätene odpovedal sloní kráľ a s celým stádom ihneď odkráčal.

Každý má svoje prednosti

V jednej záhrade žil pyšný páv. „Mám také nádherné farebné a bohaté perie, že vyzerám ako kráľ, nemyslíš?“ naparoval sa páv a rozťahoval svoj chvost všetkým na obdiv. „Za to ty máš pierka sivé ako prach. Nehodí sa, aby ťa so mnou ostatní videli!“ okríkol páv pohŕdavo jastraba. „Možno,“ riekol jastrab. „Ale ja môžem na rozdiel od teba vyletieť vysoko nad oblaky, kde som zasa pánom ja, a keď plachtím oblohou, všetkým sa tají dych. Ty môžeš akurát všetkým, ktorí nevedia lietať, pyšne predvádzať svoju krásu. Ale pamätaj si, že krása nie je všetko!“

Kráľ všetkých vtákov

Jedného dňa usporiadali vtáky súťaž – kto vyletí najvyššie nad oblaky, stane sa kráľom vtákov. „To je predsa úplne zbytočná súťaž! Ja som jasným víťazom!“ vystatoval sa orol. „To nikdy nemôžeš vedieť,“ zapípal statočne vrabček. Orol sa mu vysmial a bez otáľania vzlietol nad oblaky. Keď sa konečne zastavil a pozrel dolu, víťazoslávne zvolal: „Vyhral som! Som váš kráľ!“ Vtom sa nad ním ozvalo vrabčie zapípanie: „To je nie je pravda! Pozri sa!“ A nad orlom trepotal krídelkami vrabček. Ako je to možné? Prešibaný vrabček sa nepozorovane schoval orlovi do jeho bohatého peria, a ten ho vyniesol so sebou nad oblaky. Pyšný orol mal vedieť, že žiadneho súpera by nemal vopred podceňovať!

Nezneužívaj pohostinnosť iných

V kroví pri vysokom strome bývala poslušná malá korytnačka. Na strome hniezdil pažravý vták so svojou rodinou. Prefíkaný vták predstieral síce priateľstvo, ale vlastne využíval štedrosť korytnačej rodinky. Na každej návšteve sa vyhováral, že im ich dary nebude môcť oplatiť, pretože ho oni v jeho hniezde navštíviť nemôžu. Malá korytnačka si však raz vymyslela plán. Schovala sa do škatule a mamička ju previazala mašľou ako darček. Keď vták opäť priletel na návštevu, podal mu korytnačí ocko pripravený darček. Vták si ho v zobáku vyniesol do hniezda. Nedočkavo prezobkal mašľu, otvoril škatuľu a zostal ako obarený – zo škatule sa naňho usmievala malá korytnačka! „Dobrý deň, susedko! Som rada, že vám môžem konečne oplatiť vaše milé návštevy u nás! Vidím, že prichádzam práve včas – v čase obeda! Nuž, pusťme sa do jedla," – prehovorila na úžasom onemeného vtáka a usadila sa k vtáčatkám. Zaskočený vták sa v ten deň nezmohol ani na jediné slovo.

O starom zajacovi a hlúpom levovi

V lese žil zlý lev, ktorý stále zabíjal zvieratká, pretože bol neprestajne hladný. „To musí skončiť! Idem za ním!" oznámil jedného dňa najstarší a najmúdrejší zajac. Ostatné zajace boli presvedčené, že to bude jeho koniec, a pri lúčení ho už takmer aj oplakávali. Netrvalo však dlho a zajac leva našiel. „Práve som stretol divokého leva, ktorý o sebe tvrdil, že je pánom lesa a že zožerie všetky zvieratká!" horlivo rozprával zajac levovi a ukazoval smerom k studni. „Okamžite mi ukáž toho opovážlivca!" zreval lev. A tak zajac doviedol leva k studni a povedal mu, aby sa naklonil. Keď lev uvidel svoj odraz vo vode, neváhal a vrhol sa na „svojho" nepriateľa do studne. Odvtedy tyranského leva už nikto nikdy nevidel a zvieratká si konečne vydýchli.

Prečo je červienka červená?

Šakal sa vydal raz v noci na lov do hlbokého lesa, spadol však nešťastnou náhodou do močariska. Z posledných síl sa zachytil konára, vytiahol sa na breh a od vyčerpania zaspal. Bahno však na ňom zaschlo, nemohol ani oči otvoriť. Dlho zúfalo volal o pomoc, až napokon začul jemné vtáčie čvirikanie. Okolo poletoval malý hnedý vtáčik, ktorý mu začal zobáčikom opatrne odlupovať kúsky zaschnutého bahna z očí. Keď prácu dokončil a šakal uvidel svojho záchrancu povedal mu: „Takého prekrásneho a obetavého vtáčika som ešte nikdy nevidel!“ Vtáčia slečna sa od rozpakov tak zapýrila, že celá očervenala a nikto jej odvtedy už nepovie inak ako červienka.

Maja a Lola (1)

Dve múdre opičky – Maja a Lola – zbožňovali lahodnú chuť mlieka od ich kamarátky kravičky. A pretože mali rady dobrodružstvá, opustili jedného dňa bezpečie domova a vydali sa na prieskum okolia. O chvíľu uvideli stádo kôz, ako sa pokojne pasie na lúke. Premohla ich zvedavosť a chceli ochutnať aj kozie mlieko. Kozičky s tým súhlasili, no vtom sa objavil pastier kôz s palicou a opičky zahnal. Tie mali čo robiť, aby pred ním ušli do korún neďalekých stromov. „Hlúpe kozy, mali nás varovať! Ale čo – kozie mlieko určite nie je také sladučké a smotanové ako mlieko našej kravičky! Už ho nikdy nebudeme chcieť ochutnať!“ hundrali nespokojne opičky. Čo myslíte, mohli za to všetko naozaj kozy?

V núdzi poznáš priateľa

Slimák a dážďovka žili spoločne vo veľkej dutom pni spolu s termitmi. Vyliezali zo svojho domu iba v noci, aby ich cez deň neulovili vtáky. Raz nad ránom sa spoločne vracali domov po výdatnej hostine z čerstvých listov. Dážďovka si ako zvyčajne doberala slimáka, že sa vlečie, pretože on na rozdiel od nej niesol na svojom chrbte svoj domček. Keď došli k svojmu pníku, s hrôzou zistili, že im ich časť pňa termity úplne vyhlodali. „Čo so mnou teraz bude?“ zaplakala dážďovka. „Slniečko o chvíľu vyhupne na oblohu, zobudia sa vtáky a ja sa nemám kam skryť!“ nariekala ďalej. Slimákovi bolo dážďovky ľúto. „Ničoho sa neboj,“ upokojoval ju slimák. „Moja ulita je dosť veľká pre nás oboch. Môžeš v nej so mnou pokojne bývať, kým si nenájdeme nový domov. Dážďovka sa od dojatia rozplakala, ospravedlnila sa slimákovi za svoje správanie a už sa mu nikdy neposmievala.

Šikovný havran

Havran takmer umieral smädom, keď vtom zbadal džbán, ktorý bol do polovice naplnený vodou. Z posledných síl k džbánu doletel, ale jeho zobák bol veľmi krátky na to, aby sa mohol napiť. Nech už sa snažil všemožne, neodpil si ani kvapôčku vody. „Ja úbohý! Už nemám dosť síl letieť ďalej," nariekal. Zo zúfalstva začal do džbánu hádzať okruhliaky a všimol si, že hladina vody začala stúpať. Zajasal, a pokračoval tak dlho, dokým voda nestúpla až po okraj džbána. Zaslúženou odmenou mu bol nakoniec osviežujúci a chladivý nápoj.

Lepší vrabec v hrsti než holub na streche

Žili raz tri malé kozliatka. Jedného slnečného dňa uvideli na úpätí kopca zelenú a iste veľmi šťavnatú trávičku. Prvé kozliatko zavýsklo radosťou a rozbehlo sa napásť. Do cesty mu však vstúpil náhle vlk, ktorý sa už žiadostivo oblizoval pri pomyslení na výdatný obed. „Milý vlk, nezjedz ma," prosilo ho kozliatko. „Som pre teba ešte veľmi malé. O chvíľku za mnou prídu dvaja kamaráti a tí sú oveľa väčší než ja!" Vlk teda kozliatko nechal ísť a už sa nemohol dočkať ďalších dvoch kozliatok. Nečakal dlho a po cestičke videl poskakovať druhé kozľa. „Je naozaj bucľatejšie než to prvé ..." oblizol sa a skočil kozliatku do cesty. „Zmiluj sa nado mnou vlk a nezjedz ma! Počkaj si radšej na najväčšie kozliatko. Ide hneď za mnou ..." prosilo ho druhé kozliatko. Vlk sa zasa nechal presvedčiť, pustil kozľa a už si brúsil zuby na to tretie, najväčšie kozliatko. To však už z diaľky videlo čo sa deje. Neváhalo, tíško sa prikradlo poza vlkov chrbát a ten ešte dlho na jeho malilinké, ale veľmi ostré rožky nemohol zabudnúť. Nuž – kto chce veľa, nemáva nič.

Krokodílom nikdy never

Na jednom vysokom strome, ktorý sa týčil nad riekou, žila opica. Na strome rástlo sladké a šťavnaté ovocie, ktoré opica nechala padať do rieky krokodílovi čo v nej žil. Krokodílom chutí skoro všetko, ale najradšej zo všetkého majú opice – samozrejme na obed. „Ale ako ju dostanem zo stromu dolu?“ premýšľal krokodíl. A tak vymyslel plán, ako sa zmocní svojho chutného obeda – akože z vďačnosti za jej štedrosť ju pozve k sebe na obed, na druhú stranu rieky. Dohodli sa. Opica skočila krokodílovi na chrbát, nech ju tam teda prevezie. Keď už boli v polovici cesty, krokodíl sa naraz aj s opicou začal noriť pod vodu. „Čo sa deje?“ volala vydesene opica. Veď som ti hovoril, že budeme jesť u mňa, a tak sme tu. A hlavným chodom bude opičie srdce!“ zachechtal sa krokodíl. „Tak to si ma mal upozorniť zavčasu,“ odpovedala pokojne opica. „Nechala som si srdce doma. Vieš čo? Odvez ma na breh a ja si poň zájdem.“ Aký bol krokodíl nenásytný, taký bol aj hlúpy. Keď ju vysadil na brehu, na nič nečakala a už bola preč. Ešte dlho potom krokodíl počúval z koruny vysokého stromu opičie chichotanie.

Čo je to priateľstvo

Šakal ponúkol jarabici svoje priateľstvo. Rozhodne to však tak nevyzeralo – vyvyšoval sa nad ňu, kládol na ňu veľké nároky, ale sám jej nikdy nič neponúkal. Raz keď tak spolu putovali šakal začal jarabici vysvetľovať: „Naozajstný priateľ môže dokonca zachrániť kamarátovi život!" zdôrazňoval. „Ale taký malý, neohrabaný vták ako ty, by nikdy nič také nedokázal, prepáč," ukončil svoju reč šakal. Došli až k veľkej rieke. Boli utrmácaní a k mostu to bolo ešte ďaleko. „Môj kamarát krokodíl by nás mohol previezť na druhý breh," navrhla jarabica. Tak sa aj stalo, a keď už boli uprostred rieky, povedal naraz krokodíl: „Drahá kamarátka, rýchlo odleť preč. Toho šakala si dám na večeru, aby som si už nemusel nič zháňať pod zub." Šakal sa roztriasol od hrôzy. Keď to jarabica uvidela, zašepkala niečo krokodílovi do ucha a ten pokračoval v ceste ďalej. „Ďakujem ti," hovoril šakal jarabici, keď už stáli pevne na zemi. „A čo si to vlastne krokodílovi povedala, že si ma nakoniec nedal na večeru?" vyzvedal šakal. „Povedala som mu, že tí, čo majú radi iba samých seba a šikanujú ostatných, ako sa im zapáči, nemôžu mať naozajstných priateľov, a preto ležia dlho v žalúdku. Že si skrátka na tebe nepochutí!" odpovedala jarabica šakalovi a odletela preč.

Spoľahni sa na priateľov

Myška, havran, korytnačka a srnčiatko sa celé dni spolu hrávali. Jedného dňa sa korytnačka chytila do pasce. A k všetkému tomuto nešťastiu navyše si práve prichádzal po svoju korisť pytliak. Traja kamaráti museli rýchlo vymyslieť plán ako zachrániť svoju kamarátku. Srnčiatko si ľahlo obďaleč a predstieralo, že je mŕtve. Havran si sadol na konár, zatiaľ čo myška sa skryla pod kríky. Nič netušiaci pytliak odstránil pascu, v ktorej bola chytená korytnačka. Naraz si všimol srnčiatko. „Ale pozrime sa, to je úlovok!" zachechtal sa a hodil na sŕňa sieť. Vtom však na konári zakrákal havran, zniesol sa nad pytliaka a začal ho ďobať. Spod kríka vybehla myška a začala prehrýzať sieť. Len čo sa srnčiatko s pomocou myšky vymotalo zo siete, ufujazdili aj s myškou a korytnačkou preč. Keď havran videl, že už sú všetci v bezpečí, nechal pytliaka pytliakom a odletel za nimi. Zvieratká sa zachránili a pytliak odišiel naprázdno.

O húsenici a slonovi

Jedného krásneho odpoludnia sa vracala pani Zajacová do svojej nory, keď vtom zvnútra začula čudesné šramotenie a hluk. Opatrne nakukla do nory a vystrašeným hlasom zašepkala: „Haló, kto je tam?“ Po chvíľke sa ozvalo: „To som ja!“ A dajte si na mňa všetci pozor! Zožeriem všetky slony! V skutočnosti sa tam schovávala iba malá húsenica, ale v nore sa jej hlások tak rozliehal, že dunel ako najhrozivejší zo všetkých hlasov. Vystrašená pani Zajacová utekala požiadať o pomoc leoparda. Ten sa ničoho nikdy nebál, keď však začul ako strašidelný hlas volá z nory „Zožeriem všetky slony!“, zobral nohy na plecia aj on. Pani Zajacová teda privolala na pomoc samotného slona, ale ten sa bál ešte viac než leopard. Nakoniec sa všetky zvieratká zišli pri nore a opatrne nakukovali dovnútra. Vtom z nory vystrčila hlávku malá húsenica. Zvieratká zostali najprv prekvapené a potom sa začali tak smiať až nemohli prestať. To bola úľava! Najviac sa smial slon, ktorý teraz už vie, že strach má veľké oči. A čo to húsenica kričala? Že zožerie slony? Ale kdeže – chytala len malých chrobáčikov, ktoré majú také nosy, že vyzerajú ako malé choboty.

Kto inému jamu kope, sám do nej spadne

Každý večer sa zo slonieho obydlia rozliehala omamná vôňa teplých fazuliek. Blízko býval maškrtný zajac, ktorý slonovi takúto pochúťku závidel. Fazuľky zbožňoval. Jedného dňa zajac pozoroval opice, ako sa navzájom chytajú svojimi dlhými chvostmi, a dostal nápad. Z liany si vyrobil veľkú slučku, ktorú ukryl pred svoju noru. Využil chvíľu, keď služobníctvo pred návratom slona domov položilo na stôl plnú misu fazuliek. V okamihu večeru zajac ukradol. Rozzúrený slon nariadil svojmu služobníctvu, nech zlodeja okamžite chytia. Lev, rys, byvol a leopard prehľadávali celé okolie. Vôňa fazuliek ich však neomylne doviedla až k zajačej nore. Ale keď do nej chceli vojsť, zatiahol zajac za pripravenú slučku a chytil ich do pasce. Pustil ich až vtedy, keď mu sľúbili, že ho neprezradia. „Inak všetkým poviem, že kráľ má služobníkov hlupákov, ktorých prekabátil obyčajný zajac!“ pohrozil im. A tak si zlodej myslel, že už má vyhrané, a kradol veselo ďalej. Po krátkom čase napadlo korytnačke, že sa skryje do misky s fazuľkami. Keď zajac opäť zaboril ňufák do voňavých fazuliek, uhryzla ho korytnačka tak, že každý hneď spoznal zlodeja. Za trest uväznili zajaca do jeho vlastnej pasce, aby mal dosť času premýšľať o tom, že kradnúť sa nevypláca!

Kto sa smeje naposledy, ten sa smeje najlepšie

Jedného dňa ukradla líška gazdinej z kuchyne džem. Prechádzala sa po lese s papuľkou celou zašpinenou od džemu, a vtedy stretla medveďa. „Kmotrička líška, čo sa ti stalo?“ vyľakal sa medveď, keď uvidel líšku. „Labky aj papuľku máš od krvi!“ Líška sa najprv zarazila, kým si uvedomila, že to bude asi od toho ukradnutého džemu. Nechcela sa však s medveďom podeliť, a tak si ako vždy pohotovo vymyslela klamstvo. „Vďakabohu, že si ma našiel!“ bedákala. „Deti z gazdovstva po mne hádzali kamene ledva som im ušla ...“ klamala ďalej. Súcitný a dôverčivý medveď jej uveril a navrhol, že ju na chrbte odnesie až domov. Líška okamžite súhlasila a vyskočila medveďovi na chrbát. Ako sa tak držala medveďa za krk, zašpinila mu džemom kožuch. Medveď jediným oliznutím zistil, že nesie veľkú klamárku a podvodníčku. Líška zatiaľ nič netušila a posmievala sa popod fúzy. Medveď nič nehovoril, ale keď išiel okolo veľkej bahnistej kaluže, zhodil líšku rovno do nej. „Hlupáka si zo seba robiť nedám! Teraz sa posmievaj, keď máš tú svoju prostorekú papuľku plnú bahna!“ zasmial sa ešte a išiel ďalej svojou cestou.

O dvoch kráľoch

Lev a delfín sa jedného dňa stretli na brehu mora. Dohodli sa, že sa stanú priateľmi a že sa k sebe budú správať ako rovný s rovným, pretože lev je vládcom zvierat žijúcich na súši, zatiaľ čo delfín vládne zvieratám v mori. Raz napadol leva divoký býk. „Braček delfín, zachráň ma!“ volal zúfalý lev. „Pomohol by som ti, keby som mohol,“ povedal delfín. „Ale tak ako ty nemôžeš rozkazovať v mojom vodnom kráľovstve, tak ja nemôžem rozkazovať v tvojom kráľovstve na súši.“

O neposlušných rybkách

V jednej zátoke žili tri malé rybky. Dve z nich sa spolu kamarátili. Väčšinu času šantili a zlomyseľne zlostili tretiu, najstaršiu rybku. Raz sa hrali na naháňačku neďaleko nastraženej rybárskej siete. „Dajte si pozor!“ varovala ich najstaršia rybka, ale zbytočne. Netrvalo dlho a na obe rozšantené rybky spadla sieť. Plakali a prosili kamarátku, aby ich zachránila. Tá sa poškrabala plutvičkou po hlave a o chvíľu dostala perfektný nápad. Vyplávala niekoľkokrát po sebe až k hladine a nechávala za sebou množstvo vzduchových bubliniek. Rybári si pomysleli, že je sieť roztrhnutá. Vybrali ju z vody, aby ju skontrolovali, a tak mali obidve rybky možnosť odplávať. „Tak sláva, ale nabudúce už také šťastie mať nemusíte!“ zlostila sa na ne kamarátka, no tie ju už zasa vôbec nepočúvali a odplávali sa hrať inam. Komu niet rady, tomu niet pomoci, nemyslíte?

Nedôverčivý lišiak

Kráľ všetkých zvierat ochorel a tak povolal k sebe svojich poddaných. Zatiaľ čo všetky zvieratá bez okolkov vošli do jeho domu, lišiak zostal ako jediný stáť pred vchodom a nakoniec aj ušiel. „Prečo si ma neprišiel navštíviť, lišiak?“ spýtal sa o niekoľko dní kráľ lišiaka. Ten úctivo odpovedal: „Vaše veličenstvo mi iste odpustí tú trúfalosť, ale môj strýko hovorieval – dôveruj, ale preveruj! Videl som stopy zvierat, ktoré viedli do vášho domu, ale dlho som nevidel žiadne, ktoré by smerovali von. Radšej som s návštevou vyčkal, až vám bude lepšie a všetky zvieratá sa vrátia živé a zdravé!“

Každý vie niečo iné

„Tomu hovoríte lietanie?“ posmieval sa havran husiam, ktoré prelietavali vo svojom šíku nad jeho hniezdom. „Letíte tak pomaly, že keby som sa s vami pretekal, bol by som jasným víťazom!“ naparoval sa ďalej. Vtom sa ozvala jedna hus: „Tak to poďme teda skúsiť!“ Havran sa nenechal dlho ponúkať a urobil vo vzduchu niekoľko kotrmelcov. „Naozaj nádhera!“ pochválila havrana hus a vyletela smerom k jazeru – v pravidelnom, pomalom rytme mávala svojimi veľkými krídlami. „Počkaj na mňa!“ volal havran a vyletel za ňou ako strela. Čoskoro mu však začali dochádzať sily, div že nespadol do jazera. „To má byť ďalší z tvojich trikov?“ spýtala sa začudovane hus. „V žiadnom prípade, drahá hus! Prosím ťa, pomôž mi, nemám dosť síl vrátiť sa,“ prosil havran. Hus pokývala hlavou, naložila si havrana na chrbát a vrátila sa s ním späť. Havran slušne poďakoval, ospravedlnil sa a už sa odvtedy husiam nikdy neposmieval.

V jednote je sila (1)

Malý holúbok a jeho kamaráti leteli jedného krásneho dňa nad poľom a všimli si lákavých zrniek obilia, ktoré na poli zostali pod vysokým stromom. Hneď leteli zvyšné zrnká vyzobať, sotva si však sadli a dali sa do hodovania, spadla na nich zo stromu nastražená sieť. „Pomóc! Pomóc!“ volali holúbky vyplašene. Iba najmenší holúbok nespanikáril a zvolal: „Teraz sa upokojte a všetci ma dobre počúvajte. Zachránime sa len vtedy, keď budeme spolupracovať! Keď napočítam do troch, vznesieme sa všetci naraz. Keď už budeme vo vzduchu, všetci z prostriedku siete vyletíme, chytíme zobáčikmi sieť zhora a zvyšok bude tiež zaraz na slobode!“ A tak sa vďaka malému múdremu holúbkovi všetci spoločne zachránili.

V jednote je sila (2)

Aj napriek tomu, že sa holúbkom podarilo pytliakovi uletieť, mali mnohí z nich stále zamotané nožičky alebo zobáčiky do ťažkej siete. Všetci zo všetkých síl mávali krídelkami, aby ich sieť nestiahla k zemi. Museli vymyslieť, ako sa siete zbaviť, pretože im už ubúdali sily. „Kamarátka myška nám iste pomôže,“ napadlo holúbka. Leteli teda k okraju lesa, kde žila poľná myška, a začali hlasno štebotať. Vysilené vtáčiky sa zniesli na čistinku pri lese a sotva lapali dych. Myška hneď vedela, že im musí ihneď pomôcť, a začala sieť kúsok po kúsku prehrýzať. Trvalo to dlho, ale na sklonku dňa už boli holúbok aj jeho kamaráti na slobode. Holúbky nezabudli myške slušne poďakovať a sľúbili, že na jej službu nikdy nezabudnú.

Tri malé prasiatka

Každý dobre vie, že sa raz tri malé prasiatka vydali do sveta za dobrodružstvom. Dve prasiatka sa nechceli dlho zdržiavať, a preto si jedno postavilo domček zo slamy a druhé z prútia a raždia. Tretie prasiatko si však pomaly a rozvážne stavalo domček z tehál. V lese žil zlý vlk a tri prasiatka ihneď zavetril. Tie sa pred ním schovali do svojich domčekov. Vlk sa z plných pľúc nadýchol, mohutne fúkol, až slama s raždím lietali vzduchom. Len tak tak, že obe prasiatka stihli dobehnúť k domčeku tretieho bračeka. Rýchlo ich pustil dovnútra a zabuchol dvere vlkovi tesne pred nosom. Nech už vlk fúkal ako najviac mohol, na tehlový domček mu sily nestačili. „Musím vymyslieť niečo iné," hundral si vlk. Naraz uvidel rebrík, vyliezol na strechu a spustil sa komínom dovnútra. Prasiatka ho však počuli, a pretože najstaršie prasiatko bolo múdrejšie než vlk, rýchlo zakúrilo pod kotlom s vodou. „Pripravíme mu vrelé uvítanie," zakvíkalo radosťou. Keď vlk liezol dolu, spadol do vriacej vody a celý sa obaril. Vykríkol bolesťou a oknom vyskočil z domčeka von. „Toho tu už viackrát neuvidíme!" smiali sa prasiatka a ešte dlho si zvieratká v lese rozprávali o tom, ako múdre prasiatka prekabátili silného, ale hlúpeho vlka.

Gepard a svrček

Gepard si vyšiel na prechádzku. Cestou si všimol dutý kmeň stromu, a napadlo mu, že by mal z neho pekný rozhľad. „Kto to stojí na mojom domčeku? Okamžite zlez dolu!“ zlostil sa svrček, ktorý v kmeni býval. „Ja, kráľ gepardov, si nenechám od nikoho rozkazovať! Bež mi z cesty, lebo ťa zašliapnem,“ zavrčal nevrlo gepard. „Ja ti však rozkazovať budem,“ odvetil statočne svrček. „A ak ma nepočúvneš, zavolám si na pomoc svoju sesternicu. Tá si poradí aj so zaťatým gepardom!“ vykríkol ešte svrček. „Tak to by som naozaj rád videl!“ zasmial sa gepard. „Dobre, zavolaj sesternicu, zajtra prídem zas.“ Na druhý deň gepard opäť prišiel. Všade okolo bolo ticho. „To som si myslel, nakoniec dostali všetci strach,“ samoľúbo si pomyslel gepard. Vtom mu pri uchu začala cvrlikať cikáda a nedala sa odohnať. „Aký neznesiteľný zvuk! Cikády neznášam!“ kričal gepard, zatiaľ čo cikáda mu pri uchu koncertovala ďalej. Vtom skočil na kmeň svrček a povedal: „Už mi veríš? A teraz mi sľúb, že už nikdy nepolezieš na domček! Inak spoznáš, ako dlho dokáže moja sesternica spievať!“ Gepardovi nezostávalo nič iné než svrčka počúvnuť a zbabelo utiecť do lesa.

Zastrašovaním si priateľov nezískaš

Kedysi dávno žil lev, ktorý okolo seba rozsieval iba hrôzu a zabil každého, kto mu odporoval. Jedného dňa oznámil, že sa ožení s levicou zo susedného lesa. Chcel mať veľkolepú svadbu hodnú kráľa lesa, a tak na ňu pozval všetky zvieratká. Požiadal medveďa o med, slona o fanfáry, opicu o zábavný tanec a slávika o nádherný spev. V ten veľký deň sa však žiadne veselie nekonalo, pretože žiadni hostia neprišli – všetci sa leva báli. Lev bol po prvýkrát v živote naozaj sklamaný a smutný. Tak sa vydal k medveďovi spýtať sa ho, prečo neprišiel. „Nepodarilo sa mi nájsť ten najlepší med, a tak som mal strach z tvojho hnevu," popravde odpovedal medveď. Lev konečne pochopil, aký bol krutý. Rozhodol sa to zmeniť a so svojou ženou potom dlho vládli lesu láskavo a spravodlivo.

Nikdy sa nevzdávaj

Raz sa jedna malá zvedavá žabka nakláňala cez okraj vedra v chlieve, aby ochutnala mlieko, keď vtom stratila rovnováhu a žblnk! Spadla a zúfalo sa začala metať v mlieku. Nepodarilo sa jej ani plávať, ani sa zachytiť o okraj vedra. Napadlo jej všetko mlieko vypiť, a tak sa dostať na dno, bez toho aby sa utopila. Po chvíli však už nevládala a mlieka vôbec neubúdalo. Ako tak zúfalo mávala zadnými nožičkami, mlieko začalo tuhnúť až sa postupne utvorilo maslo. Žabka z posledných síl vyskočila na jednu hrudku masla a rýchlo ufrngla z vedra von!

Kto je väčší

V lese žil jeden veľmi namyslený zajac. „Som väčší než ty!“ povedal raz sloníčaťu. „Veď mi nesiahaš ani po kolená, aj napriek tomu, že som ešte len mláďa!“ smialo sa sloníča. Obaja teda vyrazili za zvieratkami, aby ich rozsúdili. Zajac vypäl hruď, napol ušiská a ešte sa trochu vytiahol na špičky. „Nikdy sme nevideli takého veľkého zajaca,“ zhodli sa zvieratká. Ale keď predstúpilo slonie mláďa, zostali na rozpakoch. „No, na slona, ako ho poznáme my, si nejaký malý ...“ Zúfalé sloníča sa nazlostilo duplo si. „Tak už mám dosť tých rečí! Za mňa môžu hovoriť činy – keby som chcelo, zašliapnem vás ako mravcov! Ešte chcete tvrdiť, že som malé, priatelia?“

Myška mala šťastie

Jedného slnečného dňa sa malá poľná myška vydala na výlet. Pripravila si sendviče, vysadla na bicykel a vyrazila na cestu. Došla na dvor jedného gazdovstva a nestačila sa čudovať. Uvidela tam zvieratká, aké doteraz nikdy nevidela. Jedno z nich malo čierny kožuch, biele labky, dlhý chvost, biele fúziky a spalo na múriku na slniečku. Ďalšie vyzeralo naozaj nebezpečne – malo niečo špicaté uprostred ňufáčika. Vyzeralo nahnevane a vtom vydalo hlasité: „Kikirikí!“ „Ááách!“ na smrť sa vystrašila myška a rýchlo sa schovala do najbližšej diery. „Dobrý deň,“ pozdravili ju myšky, čo v diere bývali. „Ako si sa k nám dostala?“ vypytovali sa zvedavo. Myška im všetko porozprávala. „To si mala veľké šťastie! Kohút, ktorého si sa zľakla, nie je nebezpečný. Ale keby jeho kotkodákanie zobudilo mačku, čo spí na múriku, mala by si čo robiť, aby si ťa nechytila na obed!“ A musíš sa mať na pozore aj pred pascami na myši v gazdovom dome!“ vysvetlili myši malej myške. Rozprávali sa ešte dlho do večera, podelili sa o sendviče a k večeru sa myška vydala naspäť domov. To bol úžasný deň – myška spoznala nových kamarátov a dozvedela sa aj množstvo nových vecí.

Lišiak je hlupák

Zvieratá nemali radi lišiaka: bol totiž veľmi nenásytný a často nastražil na zvieratá nejakú pascu. Jedného dňa sedeli opice na strome a premýšľali, ako to lišiakovi oplatiť.
Konečne dostali nápad! Zoskočili zo stromu a jedna z nich sa priblížila k lišiakovi: „Braček, vieš čo je na svete najväčšou lahôdkou?“ spýtala sa opica lišiaka. Lišiak od zvedavosti napol uši. „Je to kúsok mäsa, čo má kôň tesne pod chvostom,“

rozprávala opica. „Nie je vôbec jednoduché sa k takejto pochúťke dostať! Musíš priviazať svoj chvost k chvostu koňa a potom zahryznúť koňovi do zadku. Je to však tajomstvo, nikomu to neprezraď!" vymýšľala si opica. Lišiak uvidel v diaľke koňa, ktorý spal na tráve. Priblížil sa k nemu, priviazal svoj chvost k jeho chvostu a zahryzol koňovi do zadku. „Au!" vykríkol od bolesti kôň. Jedným skokom stál na všetkých štyroch nohách a tryskom upaľoval preč. Ťahal pritom za sebou k svojmu chvostu priviazaného lišiaka. Opice sa od smiechu váľali po zemi. Lišiak si potom ešte dlho lízal rany a premýšľal o tom, ako hlúpo naletel. Nuž, za hlúposť sa platí.

O somárovi, čo spieval na Mesiac

Somár a líška boli veľkými kamarátmi. Často sa stretávali v noci, aby si našli niečo pod zub. Raz večer objavili chliev, v ktorom pobehovalo množstvo sliepok. Aj kone tam mali pripravené svoje seno. Obaja sa na tie dobroty tak vrhli, až mali čoskoro bruchá plné na prasknutie. Somár bol v tej chvíli taký šťastný, že sa mu od radosti zachcelo spievať. Jeho kamarátka mu to však vyhovárala: „Prosím ťa nespievaj. Zobudíš gazdov a navyše máš príšerný hlas!" „Mám pekný hlas," zlostil sa na líšku somár. „Počúvaj!" Len čo somár začal spievať, líška vzala nohy na plecia a bežala sa skryť pod ohradu. Samozrejme nezabudla si dať labky na uši. Somár začal spievať na Mesiac. „Tu niekto veľmi falošne spieva!" zvolal gazda a celá jeho rodina sa zobudila. Všetci pobrali palice a bežali sa pozrieť, kto ich to ruší. A tak somár čoskoro schytal zopár pekných rán palicou. „Nič mi nehovor," povedal osol líške, keď ju potom celý otlčený našiel v lese. „Máš pravdu, spievam naozaj falošne!"

Prečo majú prasiatka tak rady bahno?

Jedno malé prasiatko pilo vodu z kaluže. V tom istom čase sa prišiel napiť aj tiger. Prasiatko sa tigra veľmi bálo. Tigrovi však nevoňala bahnitá voda, a tak nechal kaluž kalužou a išiel ďalej. Prasiatko si však myslelo, že sa ho tiger bojí, a tak naň opovážlivo zavolalo: Tiger, vyzývam ťa na súboj! Ten, kto vyhrá, sa stane kráľom lesa." „Dnes nie. Vrátim sa zajtra," odpovedal na to tiger. Prasiatko sa vrátilo domov úplne rozčúlené. „Ja toho tigra zajtra pekne poprehάňam a potom budem kráľom lesa." Ostatné prasiatka dostali strach a usilovali sa mu ten súboj vyhovoriť: „Neblázni, tiger ťa roztrhá na márne kúsky," varovali ho. „Tiger sa nebál teba, to len zápach z bahna ho odohnal preč." Prasiatko našťastie počúvlo rady svojich priateľov a uvedomilo si, že nemá šancu na víťazstvo. Napadol ho však perfektný plán – na druhý deň sa poriadne vyváľalo v bahne, a keď potom našlo tigra, ten sa bahna tak štítil a prasiatko tak smrdelo, že radšej utiekol. A od tých čias sa prasatá tak rady váľajú v bahne.

Ako sa stala líška kráľom

Líška a lev sa handrkovali o kráľovský trón. „Ja som silnejší," povedal lev. „Ale predo mnou všetky zvieratá utekajú," tvrdila líška. „Len poď za mnou a uvidíš!" A odviedla leva do lesa. Len čo líška vošla prvá do lesa, srnky sa rozutekali a opice sa poschovávali do korún stromov. Lev uznal, že má líška pravdu a povedal: "Vyhrala si, líška. Kráľovský trón je tvoj."

Hoci je v skutočnosti lev silnejší, líška je prefíkanejšia. Líška totiž veľmi dobre vedela, že zvieratkám nenaháňala strach ona, ale lev, ktorý išiel za ňou.

Všade dobre, doma najlepšie

V mäkučkom hniezde na veľkom strome bývali dva holúbky. Jedného dňa sa jeden z nich rozhodol, že poletí na skusy do sveta. Druhý holúbok upozorňoval svojho kamaráta, že mu v tom veľkom a neznámom svete hrozí nebezpečenstvo, ale márne. Holúbok si nedal povedať, zabalil si uzlíček s niekoľkými semienkami a vyrazil do sveta. Už uletel kus cesty, keď v tom ho na oblohe zastihol blesk. Rýchlo si našiel úkryt a tam čakal, kým znova nezačalo svietiť slniečko. Len čo slnko vyšlo spoza oblakov, holub si osušil pierka a zasa vyletel na oblohu. O chvíľu sa na holúbka vrhol sokol. Vo chvíli keď už chcel holúbka uloviť, priletel orol a ulovil sokola. Na holúbka už toho bolo priveľa, neváhal už ani chvíľu a letel, čo mu krídelká stačili, aby bol čo najskôr späť v bezpečí svojho hniezda. Musel uznať, že okolitý svet je plný nástrah a nebezpečenstva a že doma je predsa len najlepšie.

O vystrašenom vlkovi

Raz si tak vlk vykračoval a zbadal peknú ovečku, ktorá sa vzdialila od stáda. „Mňam, mňam," olizoval sa vlk, keď samučičkú ovcu uvidel. Rozhodol sa, že ju nezožerie hneď, ale že si ju radšej odvedie do svojho brloha, kde si na nej pekne pochutí. Hlúpa ovca sa nechala nalákať a šla s vlkom do jeho brloha. Cestou stretli zajaca, ktorému sa ovečky uľútostilo a preto sa rozhodol, že ju zachráni: „Vĺčik, vieš, že na ceste do tvojho brloha sú asi pytliaci?" hovorí zajac vlkovi. „Počkaj s tou ovcou tu, a ja sa pôjdem radšej najprv pozrieť," povedal zajac, aby pôsobil vierohodne. Zajac sa ponáhľal na čistinku, na ktorej pytliaci často prespávali. Našiel tam len pohodený papier a ponáhľal sa s ním za vlkom. „Vĺčik, pozri, čo som našiel pri pytliakoch. Je to príkaz od kráľa a píše sa tu, že si kráľ želá mať kabát z vlčej kože. Pytliaci majú uloviť päťdesiat vlčích koží. Štyridsaťdeväť vlčích koží už kráľ má. Zostáva uloviť už len posledného vlka," vymýšľal si zajac. Keď to vlk počul, veľmi sa vyľakal a zutekal ďaleko od ovečky a zajaca, ktorí si po jeho úteku s úľavou vydýchli.

O malom kuriatku a veľkých čučoriedkach

Mama sliepka išla raz na prechádzku so svojím malým kuriatkom. Cestou našli krásne, veľké a čerstvé čučoriedky. Kuriatko využilo chvíľku, keď sa naň mama sliepka nepozerala a začalo rýchlo zobať čučoriedky. Malé kuriatko totiž nevedelo, že čučoriedky zobať nesmie, pretože sú na jeho zobáčik priveľké, a hrozí, že sa nimi udusí. Keď sa potom vrátili domov, kuriatko sa začalo zvíjať od bolesti, usedavo nariekalo a mávalo krídelkami zo strany na stranu. Až tak veľmi ho bolelo bruško. Sliepka si s ním nevedela dať rady a bezradne okolo neho pobehovala. Práve vtedy letela okolo volavka, a keď videla, čo sa deje, ihneď zletela k sliepke na pomoc. Tá jej vyrozprávala, čo sa stalo. Volavka sa zamyslela. „Tu bol niekto asi veľmi pažravý!“ povedala a strčila svoj dlhý zobák kuriatku do krku a vytiahla z neho desať veľkých čučoriedok. „Snáď si sa už poučilo!“ povedala kuriatku volavka a odletela preč. Mama sliepka ešte dodala: „Nesmieš mať také veľké oči, aké máš hladné bruško!“
No a u nás sa hovorí – hlad má veľké oči!

Traja kamaráti

Žili raz tri malé motýliky – červený, žltý a biely. Väčšinu času sa hrali a poletovali medzi kvetmi. Jedného dňa ich na lúke zastihla hrozná búrka s prudkým lejakom, takže sa motýliky ani nestihli vrátiť domov. „Prosíme ťa, dovoľ nám ukryť sa do tvojich lupeňov," žiadali motýliky tulipán. „Dobre," odpovedal im tulipán. „Červený a žltý motýlik sa u mňa môžu skryť, ale biely motýlik nie." Motýliky sa preto rozhodli odletieť a požiadať o prístrešok iný kvet, bielu ľaliu. Tá zasa chcela do svojich lupeňov pustiť iba bieleho motýlika. Slniečko, ktoré sa schovávalo za čiernymi mrakmi, všetko počulo. Bolo mu ľúto troch nerozlučných kamarátov. Vykuklo teda spomedzi mrakov a teplými slnečnými lúčmi usušilo motýlie krídla. Motýliky slniečku vďačne zamávali svojimi nádhernými krídelkami a spoločne potom vleteli do veľkého kvetu, ktorý ich srdečne privítal. Sila ozajstného priateľstva opäť zvíťazila.

Ako sa opica dostala k bubnu

V pralese žila veľmi sebecká a chamtivá, ale aj veľmi prešibaná opica. Raz sa jej zadrela do chvostíka trieska, a tak sa vydala hľadať pomoc medzi ľudí. Prišla k holičovi, aby jej tú triesku vybral. Keď holič vyberal opici triesku, nechtiac jej poranil koniec chvostíka. Opica sa veľmi hnevala a na výmenu za zranenie vydrankala od holiča britvu. Cestou domov stretla opica starenku, ktorá si potrebovala porezať drevo na oheň. Opica jej na rezanie požičala svoju britvu. Britva sa však pri rezaní otupila, a tak si opica od starenky namiesto britvy zobrala všetko drevo. Po chvíli uvidela opica ďalšiu ženu ako sa chystá piecť koláčiky. Prešibane si pomyslela, žeby mohla dostať koláčiky, keď dá žene drevo. Keď už koláčiky lákavo rozvoniavali, začala opica žene vyčítať, že jej spálila všetko drevo a chcela od nej, aby jej zato dala všetky koláčiky. Opica nakoniec odchádzala spokojne domov aj s koláčikmi. Vtom uvidela chlapca, ktorý hral na bubon. „Vymením tieto voňavé koláčiky za tvoj bubon," prihovorila sa mu opica. Chlapec si koláčiky zobral a opica si odniesla malý bubon do svojho domčeka na strome. Hneď začala naň bubnovať. Bubnovala tak hlasno, že všetky zvieratá zo širokého okolia začali od hluku bolieť uši. To však bolo opici úplne jedno. Okrem toho, že bola chamtivá, bola aj veľmi bezohľadná k celému svojmu okoliu, a preto ju už nikto nikdy nemal rád.

Vernosť sa vypláca

Gazdov pes Dunčo bol dnes nejaký utrápený a smutný. Dlhé roky slúžil svojmu pánovi. Teraz, keď už zostarol, gazda si zaobstaral mladšieho strážneho psa, a tak väčšinu času iba ležal pri svojej starej búde. Pripadal si opustený a zbytočný. Rozhodol sa, že požiada o radu vlka. Vlk bol síce nenásytný, ale aj múdry. „Mám nápad," povedal vlk. „Dnes v noci prídem na gazdovstvo a ukradnem jednu sliepku. Ihneď za bránou gazdovstva sliepku odložím a ty ju odnesieš naspäť ku gazdovi." Dunčovi sa ten nápad zapáčil. Vlk však sliepku zabil a nechal z nej Dunčovi iba polovicu. Gazda síce pochválil svojho psa za to, že sliepku priniesol späť, ale bol smutný z toho, že má o jednu sliepku menej. To Dunča začalo trápiť, pretože bol verný a poslušný pes. Uvedomil si totiž, že nemal vlkovi veriť. Na druhý deň chcel vlk za svoj čin nejakú odmenu. Dunčo mu navrhol, aby prišiel v noci ukradnúť ovcu. Len čo vlk prišiel, začal Dunčo hlasno zavýjať. Zobudil gazdu, a ten prešibanému vlkovi poriadne vyprášil palicou kožuch. Gazda si uvedomil, že aj keď Dunčo zostarol, naďalej zostal jeho verným strážnym psom. „Ďakujem ti, Dunčo. Ty si rozhodne ten najšikovnejší pes, akého som kedy mal! Prepáč, že som na to zabudol!" pochválil ho gazda a Dunčo bol zasa najšťastnejším psom široko ďaleko.

O korytnačke a pavúkovi

Žil raz jeden veľmi hladný pavúk. Jedného krásneho dňa pozval svoju kamarátku korytnačku k sebe na večeru. Keď korytnačka prišla, pavúk ju požiadal, aby si išla umyť nohy do potôčika. Korytnačka pavúka poslúchla, ale keď sa k nemu vrátila, večera už bola zjedená. Pavúk zjedol všetko sám. „Príď zajtra na večeru ku mne," navrhla korytnačka pavúkovi. Korytnačka bývala úplne na dne rieky. Pavúk si naplnil vrecká kamienkami, aby mal istotu, že nevypláva na hladinu počas večere. „Daj si predsa dolu kabát," povedala mu korytnačka, keď vchádzal do jej domčeka. A tak pavúk, bez vreciek plných kamienkov ihneď vyplával na hladinu, zatiaľ čo si korytnačka pochutnávala na večeri. Nuž pažravý pavúk dostal takú večeru, akú si zaslúžil.

Keď je menej viac

Jedného dňa sa páv chytil do pasce. Jeho najlepšia kamarátka korytnačka ho chcela zachrániť, a tak išla za pytliakom a poprosila ho, aby páva oslobodil: „Keď páva oslobodíš, odmením sa ti," sľubovala mu korytnačka. Pytliak chcel najprv sľubovaný darček vidieť. Korytnačka sa teda ponorila do vody, pošepkala pár slov kamarátke ustrici a vyplávala na hladinu s krásnou perlou. Pytliak dodržal slovo a páva pustil. Ďalší deň však prišiel zas a žiadal od korytnačky ďalšiu perlu. „Vráť mi teda perlu, ktorú som ti dala včera a ja ti prinesiem inú, väčšiu," odpovedala korytnačka a naozaj mu priniesla ešte krajšiu a väčšiu perlu. Ďalší deň prišiel pytliak znova. Vtedy sa už korytnačka nazlostila, zobrala perlu, ktorú mu dala včera, a už sa nevrátila. Chamtivý pytliak nakoniec nemal nič a až neskôr si uvedomil, že mu chamtivosť zatemnila rozum, a že menej je niekedy viac.

Naozajstní priatelia

Párik sokolov žil spokojne so svojimi tromi mláďatkami na vysokom strome. Ich dobrými priateľmi boli korytnačka, pelikán a lev. Často sa s nimi schádzali pri dobrom obede. Jedného dňa pytliaci podpálili ich strom. Dym stúpal už k hniezdu a vtáčatká sa začali dusiť. Pytliaci začuli vyplašené vtáčie pípanie a chceli malých sokolíkov pochytať. Aby vtáčatká prinútili vyletieť z hniezda, urobili pytliaci ešte väčší oheň. Ocko sokol rýchlo letel požiadať o pomoc svojich priateľov. Pelikán priletel ako prvý. Ponoril veľký zobák do vody, nabral ním vodu, vyletel nad strom a oheň ňou uhasil. Pytliaci sa nevzdávali, a založili oheň znova. Korytnačka sa takisto ponorila do rieky a vyniesla z nej bahno, ktorým uhasila oheň. Nazlostení pytliaci sa začali škriabať na strom aby vtáčatká pochytali, ale v tom už pribehol lev. Zareval takým mocným hlasom, že sa pytliaci vydesene dali na útek. Nakoniec šťastní priatelia oslávili spolu záchranu pri dobrom obede.

O líške a medveďovi

Medveď a líška boli od radosti celí bez seba. Našli totiž veľkú hrudu masla. Rozhodli sa, že si najprv zdriemnu na slniečku a neskôr sa o ňu rozdelia. Medveď zaspal ihneď, ale líška nemohla odolať pokušeniu aby maslo ochutnala. Tak jej chutilo, že zjedla skoro celú hrudu a zvýšil sa iba malý kúsoček. Medveď sa čoskoro zobudil. „Kto zjedol naše maslo?“ hneval sa. „Ja som to nebola,“ klamala líška. „Určite si bol námesačný a maslo si zjedol v spánku, bez toho aby si to vedel.“ Poďme si zdriemnuť ešte na chvíľku. Keď sa niekto z nás masla dotkne, bude mať fúzy celé mastné.“ Medveď zasa zaspal a líška zobrala zvyšné maslo, a opatrne ho natrela medveďovi na ňufák. Keď sa medveď zobudil, bol zahanbený, pretože si myslel, že je naozaj on tým vinníkom. Chudák medveď, keby tušil ako to vlastne naozaj bolo! Líšku skrátka nikto neprerobí – bola, je a bude prefíkaná a všetkými masťami mastená.

Zachráň sa, kto môžeš!

Lovecký pes sa potuloval po lese, keď vtom zbadal zajaca, ktorý uháňal lesom ako opreteky. Pes sa ihneď pustil po jeho stope. Bežal za ním cez lúky, preplietal sa húštinou, až bol na pokraji svojich síl. Keď už zajaca dobiehal, zajac nezaváhal a šup – zmizol v diere. „To je smiešne, nechať sa takto dobehnúť zajacom," posmieval sa psovi vlk, keď sa o tej naháňačke dozvedel. „Nezabudni, že ja som bežal iba za pánovou večerou, zatiaľ čo zajac bežal o svoj život!" odpovedal mu pohotovo lovecký pes a odišiel. Vlk mal o čom premýšľať.

Pozor na malé zúbky!

Malá líška sa prechádzala po lúke. Cestou zbadala malého hada, ako sa vyhrieva na slniečku na skale. „Ty si teda malý," čudovala sa líška. „Teba sa predsa nemôže nikto báť! Pozri aká som ja silná a aké mám veľké zuby. Raz dva by som ťa prehryzla, keby som chcela," chválila sa líška. „Vieš čo, stavíme sa, kto koho viac uhryzne!" dychtivo navrhla líška. Had zasyčal a so stávkou súhlasil. „Si menší, budeš hrýzť prvý," navrhla líška. Had ľahko zaťal zuby do líščieho krku, takže to ani nebolo vidieť. „Je to tak, ako som si myslela. Si babrák – nedokážeš poriadne uhryznúť!" zasmiala sa líška. „Nebudem s tebou ďalej strácať čas," dodala pohŕdavo a išla ďalej svojou cestou. Na svoje nešťastie nevedela, že zákernosť jedného hadieho uhryznutia nie je v jeho veľkosti, ale v jede, ktorý má had ukrytý vo svojom jedovom zube. A preto aj malé hadie uhryznutie je oveľa nebezpečnejšie než akékoľvek iné. Škoda, že malej líške mamka nepovedala, že zahrávanie s hadmi sa rozhodne nevypláca, aj keď sú celkom maličkí.

O jeleňovi a lani

Statný jeleň a krásna laň sa veľmi milovali. Jedného dňa sa jeleň nešťastnou náhodou chytil do nastraženej pasce. Nikto z jeho priateľov mu nepomohol, pretože mali strach, že by sa do pasce mohli chytiť aj oni sami. Zato laň pri jeleňovi verne zostala počas celej noci. Ráno si pytliak prišiel pre svoju korisť. Laň ho prosila: „Pane, prosím, zabite radšej mňa!" Pytliaka natoľko zasiahla jej odvaha, že ani chvíľu nezaváhal a jeleňa z pasce vyslobodil. Šťastná dvojica v okamihu zmizla v hlbokom lese a na súcitného pytliaka nikdy nezabudla. Nie nadarmo sa hovorí, že naozajstná láska aj hory prenáša.

Prečo zvieratá slobodne pijú vodu?

Bol raz jeden slon, ktorý si myslel, že všetka voda na svete patrí iba jemu. Poveril korytnačku, aby postrážila lagúnu, nech sa v nej žiadne zviera nekúpe, a dokonca sa z nej ani nikto nenapije. „Je tu zakázané piť!" hovorila poslušne korytnačka všetkým zvieratkám, ktoré sa k lagúne postupne prichádzali napiť alebo osviežiť. „Všetka voda patrí slonovi!" povedala ešte raz korytnačka a snažila sa levovi – kráľovi zvierat – zabrániť, aby sa napil. Ten ju však nekompromisne odstrčil labou a z plného hrdla sa napil. A práve od tých čias všetky zvieratá pijú vodu, kedykoľvek, kdekoľvek a koľko sa im zachce.

Maja a Lola (2)

Raz išli Maja s Lolou okolo jedného domu a z kuchyne sa rozliehala vôňa koláčikov, ktoré sa práve piekli. Opičky vyskočili na strom a potom hop a skok – zaraz boli v dome. Začali skákať po mäkkých kreslách, poskakovali po posteli, až úplne zabudli na lahodnú vôňu z kuchyne. V obývačke dokonca strhli obrus s vázou a zhodili stojacu lampu, ktorá spadla na sklené dvierka skrinky so sladkosťami. Neváhali a vrhli sa na sladkosti. Ešte s papuľkami od čokolády objavili čudesný prístroj s tlačidlami. Samozrejme nezaváhali a jedno z tých tlačidiel stlačili. Miestnosť sa razom začala otriasať hlasnou hudbou. Opičky pustili od strachu magnetofón na zem a v panike vyskočili oknom von. Nevedeli totiž, čo to je, ani ako tú vec majú vypnúť. Vonku na nich už čakal majiteľ domu s palicou v ruke, chcel dať obom drzým opičkám poriadne na zadok, ale keď uvidel, aké sú vystrašené, iba im pre výstrahu palicou pohrozil a ony sa potom jeho domu zďaleka vyhýbali. Múdrym opičkám stačila tentoraz iba výstraha.

Maja a Lola (3)

Napriek tomu, že si Maja s Lolou už niekoľkokrát sľúbili, že prestanú vyvádzať a budú poslušné, príroda bola skrátka silnejšia a začali zasa vymýšľať nejaké bláznovstvá. Jedného dňa sa dozvedeli, že starý medveď chystá oslavu pre všetky medvede pri príležitosti oslavy narodenín svojho syna. Lola zašla teda za medveďom a požiadala ho, či by s Majou mohli tiež prísť. Medveď jej na to povedal, že oslava nie je pre opice, nech sa teda nehnevá. Maja s Lolou sa však neurazili, dali hlavy dohromady a naplánovali peknú nezbedu. Napísali v mene medveďa pozvánku na oslavu a rozoslali ju všetkým zvieratkám v lese. Dokonca rozvesili po celom lese aj smerovky, aby všetky zvieratká bez problémov trafili na oslavu. Medvede už boli usadené pri slávnostnom stole, keď v tom na oslavu prišiel lev s rodinou. Najstarší medveď bol síce prekvapený, ale nedovolil si poslať preč kráľa zvierat. Posadil teda leva aj s jeho rodinou k stolu. Ale vtom sa ozvalo zaklopanie a pred jaskyňou stáli tigre, slony, vlky, zajace, líšky, šakaly ... a samozrejme aj dve prešibané opičky, ktoré sa vzadu iba chichúňali. Všetky zvieratká držali v labkách pozvánku na oslavu. Zaskočený medveď sa nezmohol ani na slovo a hneď vedel, kto v tom má prsty. Ale pretože pri stole nebolo dosť miesta pre toľko hostí ani dosť jedla, strhla sa o chvíľu tlačenica a nakoniec bitka o miesto aj jedlo. Maja s Lolou využili tento zmätok, nabrali si tie najchutnejšie koláčiky a so smiechom vyskočili na najbližší strom. Medveď im stačil len pohroziť labou. Nuž jednoducho, opice nikto nikdy dobrému správaniu nenaučí.

Prečo majú slony chobot?

Kedysi dávno mali slony nos veľký ako sud. Vôbec však nevyzeral ako chobot. Pri krásnej lagúne žilo jedno veľmi zvedavé sloníča. Všetkým naokolo dávalo množstvo otázok a hlavne ho veľmi zaujímali krokodíly. A preto zakaždým, keď sa spýtalo: „Čo jedia krokodíly na večeru?“ všetci naraz od strachu zbledli a hovorili: „Ticho! Nič mu nehovorte. Jedného dňa na to príde samo.“ A naozaj sa to tak aj stalo. Raz sloníča zostúpilo k rieke a na nej uvidelo plávať čosi ako zelený kmeň s očami. „Prepáčte,“ povedalo sloníča tomu čudnému živočíchovi. „Mohli by ste mi povedať, čo jedia krokodíly na večeru?“ „Poď ku mne, maličké, to ti musím pošepkať. Je to veľmi tajné, preto o tom nikto nechce nahlas hovoriť,“ povedal tajuplne krokodíl. Zvedavé sloníča krokodíla počúvlo a sklonilo hlavu čo najnižšie, aby dobre počulo. Cvak! A krokodíl mal vo svojej tlame slonov nos. Sloníča sa ho usilovalo z krokodílej tlamy vytiahnuť, a ako ťahalo a ťahalo, jeho nos sa čím ďalej tým viac predlžoval. Krokodíl sa veľmi snažil stiahnuť sloníča do vody, ale sloníča bolo predsa len o trošička silnejšie a krokodíla pretiahlo. Ten sklapol svoju zubatú tlamu naprázdno a nahnevane sa ponoril do rieky. Sloníča si všimlo, že jeho nos je naraz taký dlhokánsky, že takmer nedovidelo na jeho koniec. Odvtedy majú všetky slony namiesto nosa chobot.

Havran labužník

Na jednom košatom strome býval pekný holúbok. Strom stál iba kúsok od okna jednej voňavej kuchyne. Kuchárka z tej kuchyne mala holúbka veľmi rada. Starala sa oň ako o svoje domáce zvieratko a sypala mu vždy trochu zrna na rímsu okna. V susedstve býval pažravý havran. Všimol si, ako je o holúbka dobre postarané a začal mu závidieť. Chcel sa s ním preto skamarátiť, dokonca sa aj nasťahovať do jeho hniezda, a holub s tým aj naivne súhlasil. Predovšetkým išlo havranovi o to, aby zneužil štedrosť kuchárky a pokúsil sa od nej vylákať nejakú lahôdku z kuchyne. Kuchárka aj naďalej sypala zrno na okno. Raz začal havran prehovárať holúbka, aby s ním išiel ukradnúť niečo na raňajky do tej voňavej kuchyne. Holúbok nechápal, prečo by to mal urobiť, keď sa k nemu kuchárka správala vždy tak pekne. Havran sa teda rozhodol, že sa do kuchyne vkradne sám. Na stole v kuchyni ležal tanier s pečenou rybou. Havran s ním chcel hneď odletieť, ale nepodarilo sa mu chytiť tanier pevne do pazúrov, a tak mu tanier spadol na zem. Keď ten rachot počula kuchárka, hneď pribehla a havrana metlou vyhnala. Odvtedy sa havran už pri okne do voňavej kuchyne nikdy neukázal.

O lišiakovi a nešťastnom býkovi

Jedného dňa stretol lišiak býka. „Sused môj, si nejaký smutný. Čo sa stalo?“ „Nevidel si náhodou niekde môjho syna?“ spýtal sa býk lišiaka. „Stratil sa pred týždňom, keď sme sa boli pásť na lúke. Našiel som len nejaké kosti na úpätí hory,“ posťažoval sa nešťastný býk. „Nikoho som nevidel, naozaj! Vieš čo, poď mi ukázať to miesto, kde si našiel kosti,“ ponúkol sa lišiak býkovi. Lišiak samozrejme hneď vedel, kam ho býk zavedie, pretože práve pred niekoľkými dňami spolu s vlkom ulovili mladého býčka. Neskôr sa pred býkom tváril, že ho smrť mladého býčka strašne dojíma a začal plakať: „To je hanebné! Musíme chytiť toho vinníka! Myslím, že viem, kto to urobil. Počkaj tu chvíľku.“ Lišiak vyliezol na vrchol hory a rozhliadol sa po okolí. V diaľke uvidel veľkého hnedého medveďa. Rýchlo sa poponáhľal späť za býkom a riekol mu: „Ten, kto zabil tvojho syna je neďaleko odtiaľto. Musíš ho napadnúť! Je síce veľký a silný, ale ja ti pomôžem,“ povedal lišiak. Zatiaľ čo býk zápasil s medveďom, lišiak len predstieral, že pomáha býkovi medveďa poraziť. O chvíľku padol medveď k zemi. „Lišiak, za to, že si mi pomohol nájsť vraha môjho syna a pomstiť ho, darujem ti tohto medveďa,“ povedal vlk. Býk bol spokojný, pretože si myslel, že dopadol skutočného vinníka. Prefíkaný lišiak bol ešte spokojnejší, a keď býk odišiel, pozval svojho priateľa vlka na poriadnu hostinu!

O svadbe orla

Jeden nádherný orol sa usídlil na veľkom košatom strome a hneď na vedľajšom bývala slečna Luniaková. Jedného dňa prišla za orlom s návrhom: „Vezmime sa. Ulovím toho viac než ty." Orol však nevedel, že luniaky nelovia. Živia sa totiž mŕtvymi iba zvieratami. „A čo vieš uloviť?" spýtal sa jej orol. „Dokážem uloviť dokonca aj pštrosa," vychvaľovala sa slečna Luniaková. A tak sa s ňou orol oženil. Keď však neskôr priniesla domov mŕtvu myš, ktorá príliš nevoňala, orol sa veľmi začudoval: „Ale veď toto nie je pštros!" Pani Orlová bez zaváhania odpovedala: „To ja veľmi dobre viem. Ale sľúbila by som ti čokoľvek, len aby som sa mohla za teba vydať!"

O vlkovi a líške

Vlk býval v susedstve líščej nory. Vlk bol silný a líška veľmi prefíkaná. Spoločne tvorili výborný lovecký párik. Raz líška ukázala vlkovi gazdovstvo, kde žil tucet pekne vypasených ovečiek. Sľúbila vlkovi, že bude strážiť, zatiaľ čo on pôjde ukradnúť zopár oviec na večeru. V skutočnosti si išla zdriemnuť do trávy. Gazdov pes vlka zavetril a začal hlasno zavýjať. Netrvalo dlho, pribehol gazda a vlkovi pekne vyprášil kožuch. Z posledných síl sa vlk doplazil k líške. Tá sa na zvuky bitky prebudila a rýchlo premýšľala, čo povie vlkovi. Začala nariekať a predstierala, že ju takisto niekto veľmi zbil. „Braček, naozaj nevyzeráš dobre, ale pozri sa na mňa! Si na tom určite lepšie ako ja, odnes ma na chrbte domov!" rozkázala vlkovi líška. Zmlátený a unavený vlk sa nad ňou zľutoval a poslúchol ju.

Maja a líška (1)

Maja so svojím kamarátom zajacom vymýšľali plán, ako sa pobaviť na účet líšky, pretože obvykle to robila ona iným zvieratkám. A tak sa raz zajac za líškou vydal a začal ju vychvaľovať až do nebies: „Všetci okolo dobre vedia, aká si elegantná líštička. Mala by si nosiť na krku zvonec, takto by si ťa všimli úplne všetky zvieratká. Mohla by si ukradnúť zvonec, ktorý nosí na krku býk. Mohlo by sa ti to podariť vtedy, keď bude býk spať. Ja by som zatiaľ dával pozor, či niekto nejde. Čo ty na to?" Líške sa tento nápad veľmi zapáčil. Na druhý deň, len čo býk zaspal, zavesila sa mu líška na krk a snažila sa mu dať dolu zvonec. Medzitým začal zajac nahlas kričať a dupať o zem, až sa býk prebudil. Nazlostený nabral líšku na rohy a odhodil ju vysoko do výšky aj do diaľky. Líška bola celá otlčená. Maja to celé pozorovala z krovia a veľmi sa tomu smiala. Líška bola veľmi nazlostená a hneď si sľúbila, že sa čoskoro pomstí. Odvtedy myslela už len a len na pomstu.

Maja a líška (2)

Líška vedela, že Maja nadovšetko miluje sladké ovocie. Doviedla teda Maju do záhrady plnej šťavnatého ovocia a povedala jej: „Strážny pes je môj kamarát. Choď za ním a povedz mu, že ťa posielam. Ukáže ti stromy s tým najchutnejším ovocím." A tak sa Maja vybrala hľadať strážneho psa. Cestou stretla kravu a spýtala sa jej, či nevidela psa, ktorý to tam stráži. Krava celá vystrašená zabučala a dodala, že to psisko je naozaj zlé a ona má z neho veľký strach. Maja ihneď pochopila, že sa nechala líškou pekne dobehnúť. Všimla si však, že strážny pes tvrdo spí a tak tú chvíľu využila, aby si dala to sladké ovocie. Keď už mala plné bruško, vrátila sa naspäť k líške: „Nechala som ti pri strome ešte trochu ovocia, ak chceš," povedala jej. „Pokojne si tam môžeš poňho ísť, strážny pes tam nie je." Keď líška videla, aké má Maja plné bruško, počúvla ju a išla sa pozrieť k tomu stromu. Práve vo chvíli, keď si líška pochutnávala na šťavnatom ovocí, Maja začala volať na raty: „Pozor zlodeji! Zlodeji sú tu!" Strážny pes sa zobudil a pohotovo sa vrhol na líšku, ktorá sa pred ním len tak tak zachránila.

Cena slobody

Raz starý a od hladu skoro mŕtvy vlk stretol jedného dobre živeného psa. Dali sa do reči. Vlk čoskoro uznal, že by tiež radšej žil na gazdovstve, kde by mu jedlo nosili až do misky. „Tak poď so mnou," ponúkol mu pes. „Mohol by si mi pomôcť strážiť dom a za odmenu by si toho mohol zjesť, koľko by si len chcel." Cestou si vlk všimol znamienko na krku psa a spýtal sa ho, čo to tam má. „To je znak od reťaze. Cez noc bývam priviazaný k búde. Na to si časom zvykneš," odpovedal mu pes. „Tak to teda nie! Pre mňa nie je nič cennejšie než sloboda," odvetil psovi vlk a radšej odbehol hladný do lesa.

O pyšnom havranovi

Havran našiel na zemi pávie perá a pripadali mu také krásne, že si ich nalepil na svoj chvost. „Teraz som najkrajší zo všetkých vtákov!" volal nadšene široko ďaleko. „Som až príliš krásny na to, aby som žil s havranmi. Budem žiť s pávmi!" Pávom sa však nepáčil príchod votrelca, a tak začali do havrana ďobať, až sa mu z chvosta krásne pávie perá odlepili. Havran sa veľmi zahanbil a nezostávalo mu nič iné než sa vrátiť späť k havranom. Tí ho však tiež už nechceli mať pri sebe a posielali ho preč: „Toto ťa aspoň naučí nevyvyšovať sa nad ostatných!"

Líška a kohút

V jedno krásne ráno uvidela hladná líška kohúta, ako stojí na streche stodoly. Kohútik, vieš, že kráľ zvierat nariadil prímerie medzi všetkými zvieratami? Odteraz budú všetky zvieratá žiť v mieri. Zlez dolu a poď so mnou túto dobrú novinu povedať aj ostatným zvieratkám na gazdovstve," lákala ho líška. Kohút však nebol hlúpy a dobre vedel, že sa ho len líška snaží obalamutiť, aby k nej zlietol a ona by tak mala naservírovanú večeru. „To je naozaj dobrá správa, kmotrička líštička," zakikiríkal kohút. „A ako prvému to môžeš hneď povedať psovi, ktorý stráži gazdov dom. Práve tu ide," dodal. „Naozaj by som rada, ale práve som si spomenula, že už som dávno mala niekde byť," vyhŕkla líška a fujazdila preč, len sa tak za ňou prášilo.

Ako pavúk ukradol Slnko

Kedysi dávno sa hovorilo, že Slnko svieti len na jednej strane zemegule. Zvieratá, ktoré žili na tej druhej strane, už nechceli ďalej žiť stále v tme, a tak sa rozhodli, že pre seba ukradnú kúsok Slnka. Najprv to skúsil leopard, ale len čo sa k Slnku priblížil, spálilo mu srsť. Potom sa o to pokúsil orol, ale ten sa vrátil späť so spáleným perím. Nakoniec sa ponúkol maličký pavúčik, že to tiež skúsi. Vyrobil si nádobu z hliny a upriadol takú veľkú pavučinu, že sa po nej dostal až na druhý koniec sveta. Tam si malého pavúčika nikto nevšimol. Nenápadne nabral do nádoby trocha slnečného svitu a rýchlo sa ponáhľal späť domov.

Ako sa líška učila plávať

Žila raz jedna líška, ktorá nemala rada svoju susedku korytnačku. Jedného dňa si všimla, že korytnačka leží na brehu rieky a celá sa trasie. Líška si myslela, že už je s korytnačkou konečne amen. Prišla k nej a chytila ju za nohu. „Prosím ťa, nehoď ma naspäť do vody! Lebo sa utopím," prosíkala korytnačka líšku. „To chcem teda vidieť," zaškľabila sa škodoradostná líška a hodila korytnačku do rieky. Zabudla totiž, že korytnačky vedia výborne plávať. Líška sa veľmi zlostila, že sa nechala tak hlúpo nachytať. Stála nad riekou a pozerala na korytnačku, ako si v nej veselo pláva a vysmieva sa jej. „Rieka nie je hlboká. Voda tu siaha len po kolená," hovorili líške žaby. Líška mala z vody veľký strach, ale pretože rieka nebola hlboká, rozhodla sa, že do nej skúsi vojsť. Korytnačka plávala za líškou a poriadne sa jej zahryzla do chvosta. Líška sa v tej chvíli hneď naučila plávať!

Kôň a včely

Kôň Lojzo bol najkrajším koňom v širokom okolí. Mal krásnu, dlhú, bielu hrivu a svalnaté nohy. Bol si toho vedomý a bol aj na to patrične pyšný. Trávil hodiny kúpaním v rieke a hrivu si denne sušil na teplom popoludňajšom slniečku. Jedného dňa si všimol, že má hrivu redšiu. Zostal z toho zničený! On, Lojzo, predsa nemôže prísť o svoju nádhernú hrivu! Ostatné kone sa mu budú iste smiať! Bolo už len otázkou času, než si kone všimli, že Lojzo plešatie. Kôň Fero prišiel za ním ako prvý. Bol často terčom Lojzových uštipačných poznámok, že nie je dosť zaujímavý. A teraz prišla jeho chvíľa, aby si svoju prevahu vychutnal. „Ó, ty chudáčik! To je naozaj nemilé, vyzerať zrazu ako vypĺznutá mrcina. Ale viem o niečom, čo ti pomôže. Mal by si si pod hrivu natrieť med, potom ti prestane rednúť. A keď si ponatieraš medom aj celé telo, budeš mať srsť ešte lesklejšiu než predtým, a budeš opäť najkrajší z nás," nahováral ho Fero. Lojzo teda tryskom bežal za medveďom a poprosil ho o tri súdky medu. Potom s medom docválal za opicami. Požiadal ich, aby ho ním úplne celého ponatierali. „Si si istý?" pýtali sa ho pochybovačne opice. Lojzo horlivo prikývol. A tak sa opice dali do práce. Lojzo, celý ponatieraný sladučkým a lepkavým medom, si spokojne vykračoval domov, keď vtom sa naňho vrhol roj včiel. Tak ho poštípali, že sa od bolesti nemohol ani pohnúť. Poučil sa však, že márnomyseľnosť sa nevypláca a trocha skromnosti naozaj nikdy neuškodí.

O sove, ktorá nemohla zaspať

Všetci dobre vedeli, že sovy lovia v noci a cez deň spia. Žila raz jedna sova, ktorej sa nedarilo vôbec zaspať. Kedykoľvek zavrela oči, spustila cikáda žijúca vedľa nej v susedstve svoj koncert. Sova mnohokrát slušne žiadala cikádu, aby ju nechala trocha si pospať a prestala koncertovať, ale cikáda ju nikdy nepočúvla. Poprosila ju aj o to, nech sa presťahuje o kúsok ďalej, ale cikáda sa jej len vysmievala. Sova bola čím ďalej, tým unavenejšia a nevedela si rady. Bola už taká zúfalá, že jedného dňa, keď zasa cikáda koncertovala, zvolala: „Tvoj spev je taký krásny, že si zaslúžiš, aby som ťa zaň odmenila sladkým nektárom. Príď si po nektár do môjho hniezda." Cikáda bola veľmi pyšná na svoj hlas, a tak sa ani veľmi dlho nerozhodovala a rovno išla k sove. Sova len otvorila zobák a spievajúcu susedku zhltla. Konečne si sova dožičila pokojný spánok!

Ako medvede prišli o svoje chvosty

Kedysi dávno mali všetky medvede krásny dlhý chvost, dokonca ešte krajší než majú líšky. Líšky preto medveďom ich chvosty závideli. Jedna z nich však vymyslela plán, ako medvede o chvosty pripraviť. Blížila sa zima a o jedlo začala byť núdza. Líške sa pritom podarilo uloviť rybu. „Ako sa ti to podarilo?" spýtal sa líšky medveď. „To je ľahké. Urobila som do ľadu dieru, strčila do nej svoj chvost a čakala, až sa ryba do chvosta zahryzne," odpovedala mu líška. Medveď to chcel tiež hneď vyskúšať. „Musíš byť veľmi trpezlivý," poradila mu ešte líška a bežala rýchlo domov. Hlúpy medveď čakal a čakal, až od toho čakania zaspal. Keď sa prebudil, bol jeho chvost úplne zamrznutý v ľade. Len čo sa ho pokúsil z ľadu vytiahnuť, odtrhol ho. Medveď sa tak veľmi zahanbil, že sa radšej bežal skryť domov a von vyliezol až na jar.

Prešibaná korytnačka

Raz stretla korytnačka hrocha a slona a povedala im: „Vy ste obaja väčší než ja, ale ja mám väčšiu silu!“ Slon na to len úsmevne zatrúbil chobotom. Korytnačka mu dala povraz a stavila sa s ním o sto krásnych mušlí, že ju z vody nevytiahne. Vzala jeden koniec povrazu a pod vodou ho potom priviazala k veľkej skale. Slon ťahal za povraz zo všetkých síl. Keď už bol unavený, stávku vzdal. Korytnačka odviazala povraz od skaly a víťazne vyplávala na hladinu. Na druhý deň sa stavila s hrochom, že sa mu ju nepodarí stiahnuť z brehu do vody. Hroch zobral jeden koniec povrazu a ponoril sa s ním do vody. Korytnačka rýchlo priviazala druhý koniec k stromu na brehu rieky. Hroch sa snažil zo všetkých síl, ale korytnačku nestiahol do vody. Keď už stávku vzdal, poponáhľala sa korytnačka k stromu, uvoľnila povraz a zhrabla dvojitú výhru od slona aj hrocha.

Nuž mnohokrát víťazí dôvtip nad silou a odvahou.

Kto by sa mal koho báť

Na jednej lúke našiel malý potkan umierajúceho býka. Vo chvíli keď potkan vyskočil na býka, býk zomrel. „Zabil som býka," pomyslel si. „Som teda najsilnejšie zviera na okolí! Odteraz ma všetci budú musieť počúvať." Postavil sa na býka a kričal na plné ústa: „Poďte mi pomôcť naporciovať veľkého býka, ktorého som práve skolil." Líška, ktorá išla náhodou okolo, potkana začula a išla sa pozrieť, o čo vlastne ide. „Pomôžem ti, ale nebude to zadarmo," povedala líška. Keď už bol býk naporciovaný, dal potkan líške maličký kúsok mäsa. Líška sa nahnevala a skočila na potkana. Od tých čias si žiadny potkan na líšku netrúfne!

O zajacovi a krave

V ten deň bola úmorná horúčava. Zajac umieral smädom. Pod jedným stromom uvidel kamarátku kravu a povedal si, že trocha mlieka by mu urobilo dobre. Prišiel za ňou a povedal jej: „Moja drahá, tento strom je plný jabĺk! Pomohla by si mi ich pár natrhať?" „Ako by som to asi urobila?" spýtala sa začudovane krava. „Vieš predsa, že ja sa neviem šplhať po stromoch." „Stačí, keď hlavou vrazíš do stromu a jablká samé popadajú," radil jej zajac. Krava počúvla a do stromu vrazila. Jablká však boli málo dozreté na to, aby popadali. Veď vlastne zajacovi ani o ne nešlo. Krave sa pri tom náraze zapichli rohy do stromu a to presne zajac chcel. „Ďakujem ti," povedal jej zajac. Zobral si vedro a kravu podojil. Chúďatko, tá sa ani nestačila čudovať!

Zajkovia bojkovia

Lev, kráľ zvierat, bol dobrý a spravodlivý. Hneď ako začal vládnuť, rozoslal svojich poslov po celom kráľovstve, aby zvolali všetky zvieratá k nemu. Potom všetkým oznámil, že odteraz budú ovce a vlky, tigre a kozy, psy a zajace spolunažívať v zhode. „To je veľmi dobrá správa," povedali zajace, ktoré už nedúfali, že by niekedy táto chvíľa mohla nastať. Vtom lev z ničoho nič nahlas kýchol a vyľakané zajace na nič nečakali – hop sem, hop tam – a už boli ukryté vo svojich norách.
Jednoducho, istota je istota, čo poviete?

O ctižiadostivom šakalovi

Keď šakal videl, aké je pre slona jednoduché zaobstarať si potravu, premýšľal, ako to urobiť, aby si sám ušetril pri lovení námahu. Vydal sa teda za levom, ktorý bol kráľom zvierat. Keď ho našiel, hlboko sa pred ním poklonil:
„Som váš ponížený služobník, pane. Jediné, čo od vás žiadam je, aby ste mi umožnili dojedať zvyšky vášho jedla." Lev to šakalovi dovolil, a tak sa týmto spôsobom nejaký čas šakal živil. Šakal bol však nenásytný, a tak časom dospel k názoru, žeby mohol jesť rovnako dobre ako lev. Rozhodol sa preto uloviť slona. Slon, ktorého si vyhliadol, bol obrovský. Bol taký veľký, že si šakala ani nevšimol a zašliapol ho. Lev, ktorý sa všetko dozvedel usúdil, že šakal bol až priveľmi ctižiadostivý, precenil svoje schopnosti a doplatil na to životom.

O starej líške

Líška už bola taká stará a slabá, že sa jej už nedarilo chytiť žiadnu sliepku. Dostala však nápad: zobrala si palicu a vydala sa k najbližšiemu gazdovstvu. Unavená líška sa tam dotrmácala so slzami v očiach. Zbadal ju kohút a bežal zistiť, čo sa deje. „Vždy som bola zlá líška, ale teraz som sa zmenila. Chcem sa polepšiť.“ Kohút neveril vlastným ušiam a kikiríkal po celom gazdovstve, čo mu líška povedala. Aj sliepky boli prekvapené a hneď pribehli.

„Je to tak,“ presviedčala ich líška. „Úprimne ľutujem všetko, čo som vám kedy spôsobila. Poďte ku mne a spoločne sa pomodlíme.“ Sliepky sa zhromaždili do kruhu okolo líšky, zatvorili oči a začali sa spoločne modliť. Líška využila situáciu, odhodila palicu a pochytala všetky sliepky.
Nezabudnite, že líšky sú prefíkané a preto sa im nikdy nedá veriť.

Prečo sú havrany čierne?

Kedysi dávno bývala taká krutá zima, že zvieratám nezostávalo nič iné len dúfať, že ju prežijú. Napísali bohu, pánovi všetkého tvorstva list a poverili havrana, aby mu ho doručil. Havran bol totiž kedysi najkrajší zo všetkých vtákov. Mal prekrásne dúhové perie a jeho spev bol najľubozvučnejší. Tri dni a tri noci dúhový havran letel, aby sa dostal do raja, kde svojím krásnym hlasom zaspieval bohu o strastiach, ktoré trápia zvieratá na zemi. Boh bol dojatý a daroval havranovi fakľu, ktorá mala roztopiť ľad a sneh na zemi. Tri dni a tri noci letel havran naspäť zem a po celý čas mu fakľa ani raz nezhasla. Doletel na zem a vďaka ohňu sa ľad naozaj roztopil a zvieratá boli zachránené. Samotný havran však na to doplatil. Jeho dúhové pierka od ohňa sčerneli a jeho hlas od dymu nevydal jediný pekný tón. Havran bol z toho smutný, ale boh mu z nebies poslal odkaz: „Dal som tvojmu periu vôňu a farbu dymu, aby sa ťa žiadne zo zvierat nepokúsilo zožrať," povedal boh. „A tvoje krásne lesklé čierne perie bude pre všetkých pamiatkou na tvoju obetavosť a hrdinstvo."

O prefíkanom šakalovi

Raz sa jeden šakal snažil utiecť pred psami, ktoré ho naháňali. Ako tak utekal, spadol do suda s modrou farbou a celý zostal modrý. Keď sa potom vrátil do lesa, zvieratá na neho začudovane pozerali. „Čo je to za neznáme zviera?" pýtal sa lev, kráľ zvierat. Šakal pohotovo odpovedal: „Som posol bohov. Mojou úlohou je chrániť všetky zvieratá v lese. Som vaším novým kráľom." Zvieratá si nechceli bohov rozhnevať, a tak po krátkej porade ustanovili modrého šakala za svojho nového kráľa. Plnili všetky jeho príkazy a nosili mu iba tie najvyberanejšie lahôdky. Nový kráľ si v takomto pohodlí mohol žiť ešte veľmi dlho, keby raz večer nezačul zavýjať svojho brata šakala na druhom konci lesa. Hlas prírody bol silnejší a šakal začal takisto hlasno zavýjať, aby ho brat začul. Keď si uvedomil, že je teraz vlastne kráľom zvierat, bolo už neskoro. Všetky zvieratá hneď pochopili, že ich kráľom bol obyčajný šakal, a hlavne veľký podvodník! Od tých čias už šakalovi nikto neverí.

Žaba a vôl

Malá žaba sa vydala objavovať svet. Cestou stretla vola, ktorý sa prechádzal po lúke. Nadšená z tohto objavu bežala domov do rodného jazierka. „Práve som videla najväčšiu žabu na svete." „To je pekná hlúposť," zakvákala najväčšia žaba v jazierku. „Nemôže byť predsa väčšia ako ja!" Veľká žaba sa nafukovala, aby bola ešte väčšia, ale malá žabka jej to stále opakovala: „Bola oveľa väčšia ako ty!" Veľká žaba si to nechcela pripustiť, a tak sa čoraz viac a viac nafukovala, až kým nepraskla a nezostalo po nej ani stopy.

Zajac a hady

Zajac poznal dvoch pyšných hadov, ktorí žili každý na jednej strane rieky. Zajac sa chodil k rieke často napiť. Raz mu napadlo, že si z hadov vystrelí a vyzval ich, aby sa s ním preťahovali. Každý had súhlasil, pretože bol presvedčený, že nad malým zajačikom zvíťazí. Zajac však dal nenápadne každému z hadov jeden koniec povrazu, a tak sa vlastne hady preťahovali navzájom, bez toho aby o tom vedeli. Mysleli si, že sa preťahujú so zajacom, ktorý to všetko nenápadne pozoroval opodiaľ. Hady sa preťahovali, čo im sily stačili. Zajac ich celý čas sledoval a výborne sa na tom zabával.
Po dlhej chvíli to už nemohol vydržať a nahlas sa rozosmial. Hady najprv nechápali, čo je zajacovi na smiech – ale potom pochopili, že ich pekne dobehol. Nahnevali sa naňho a za trest už zajac nesmel chodiť piť k ich rieke.

Čo všetko krokodíl nevymyslí, keď je hladný

V ten deň nemal starý krokodíl dobrú náladu. Niekoľko dní už nič nejedol a tak dostal veľkú chuť na šakala. Poveril svojho kamaráta kraba, aby povedal šakalovi, že dnes išiel loviť na druhý breh rieky, a že sa môže ísť bez obáv vykúpať. „Ďakujem, ale kúpal som sa včera," odpovedal krabovi šakal. Pretože však nebol hlúpy, nenápadne sledoval kraba naspäť k rieke, aby zistil, čo má za lubom. Zostal ukrytý v kroví a pozoroval kraba, ako sa rozpráva s krokodílom. Bol dosť blízko a rozhovor si vypočul. „Choď naspäť za šakalom, a povedz mu, že som zomrel," nabádal kraba krokodíl. „Ja zostanem na brehu a budem sa tváriť, že som mŕtvy." Krabovi nezostávalo nič iné ako krokodíla počúvnuť. Keď to šakal začul, rýchlo bežal domov. Krab prišiel po šakala a spolu sa vydali k rieke. Vo chvíli keď tam prišli, držal sa šakal od krokodíla v bezpečnej vzdialenosti. „Neviem neviem, nevyzerá ako mŕtvy ..." riekol váhavo šakal. „Všetci predsa dobre vedia, že mŕtvy krokodíl ešte hodinu po smrti kýva chvostom." Keď to krokodíl začul, začal mávať chvostom. Šakal sa rozosmial, a bol pyšný na to, ako rýchlo a jednoducho usvedčil krokodíla z podvodu.

O nešťastnej pštrosici a statočnom slimákovi

Pštrosia mama mala dve krásne pštrosie mláďatká, ktoré zbožňovala. Jedného dňa sa obe mláďatá stratili. Stopy viedli do nory, kde býval lev. Malé pštrosíčatá tam naozaj boli. „To sú moje levíčatá," ozvala sa mama levica. „Bež sa spýtať zvierat. Ak ti povedia, že mi mláďatá nepatria, dám ti ich." Všetci, snáď iba okrem slimáka, sa neopovážili povedať, že mláďatá nepatria levici.

„Nech sa všetky zvieratá zhromaždia pri levej nore," rozkázal slimák. Len čo sa zvieratá pri nore zišli, slimák zvolal: „Tieto mláďatá patria pštrosici! Videli ste už, aby mal lev perie?!" V tej chvíli ako to slimák dopovedal, hneď sa bežal svojou najväčšou slimačou rýchlosťou skryť pred levicou do lesa. Levica síce bola veľmi nahnevaná, ale pred toľkými svedkami z lesa jej nezostávalo nič iné, len mláďatá pustiť na slobodu. Keď sa zvieratká rozišli levica márne hľadala slimáka. Ten si dal záležať na tom, aby sa levici úspešne vyhýbal.

Zvieratká potom ešte dlho obdivovali slimákovu statočnosť, že zachránil malé pštrosíčatá tým, že vyriekol ako jediný pravdu nahlas.

Kto je rýchlejší?

Jedného krásneho rána stretol ježko zajaca, ktorý sa opaľoval na pooranom poli. Zajac sa nepekne vysmieval ježkovi a jeho krátkym nožičkám. Urazený ježko sa teda so zajacom stavil o pole repy, že ho v behu porazí. „Mám však jednu podmienku, že sa ešte pred pretekmi naraňajkujem," požiadal ježko zajaca. Ježko sa rýchlo ponáhľal domov, ale namiesto toho, aby sa naraňajkoval, poprosil svoju ženu, aby sa skryla na opačnom konci poľa. „Zajace sú aj tak hlúpe a nerozoznajú jedného ježka od druhého," pomyslel si ježko. Potom sa ježko vrátil k zajacovi. „Tak, konečne sme pripravení. Tri, dva, jeden ... štart!" odštartoval zajac preteky a fujazdil cez pole ako o život. Ježko sa nepohol z miesta ani o centimeter. Predstavte si to prekvapenie, keď zajac dobehol na druhý koniec poľa a už z diaľky naňho volala pani Ježková: „Už som tu!" Zajac tomu nemohol uveriť, a tak bežali cez pole ešte niekoľkokrát, tam a späť, tam a späť. Ale ježko zakaždým vyhral. Zajacovi nezostávalo nič iné než sklopiť uši a priznať porážku, zatiaľ čo pán a pani Ježkovci sa v ten deň nemohli prestať smiať. Dobre mu tak – urážať niekoho a robiť si posmech nie je vôbec pekné a často sa stane, že na to dotyčný pekne doplatí – napríklad len hanbou, ako v tomto prípade.

Kto je na svete najkrajší?

Žila raz jedna mladá polárna medvedica, ktorá trávila väčšinu svojho voľného času pozorovaním svojho obrazu na vodnej hladine. O kamarátky sa nezaujímala, stále si len robila diery do ľadu, aby sa mohla na seba pozerať v odraze vody. Časom však prišla o všetkých svojich priateľov. Jedného dňa, keď opäť obdivovala svoj odraz na vodnej hladine, zazrela naraz vo vode veľmi škaredú tvár. Bola to tvár, ktorá mala dlhokánske fúzy a veľkú tlamu. Vydesená medvedica to rýchlo bežala povedať svojej mamičke. „To bol len tuleň, ty hlúpučká," vysvetlila jej mamička. Odvtedy sa však mladá medvedica už vo vode neobzerala a uvedomila si, koľko zaujímavých a krásnych vecí je všade okolo nej.

Mačiatko, orol a diviak

Jedno malé mačiatko bývalo v diere vydlabanej do kmeňa starého stromu. Žilo však v neustálom strachu a takmer ani neopúšťalo svoj brlôžtek. V korune toho stromu totiž žil orol a neďaleko býval diviak. Jedného dňa pozbieralo mačiatko všetku svoju odvahu, a vydalo sa za orlom. Narozprávalo mu, že diviak vyhrabáva pod stromom dieru a že strom určite čoskoro spadne aj s jeho orlím hniezdom. Potom utekalo k diviakovi a takisto si povymýšľalo, že orol má v pláne uloviť jeho mláďatká. Odvtedy si ani orol, ani diviak netrúfli opustiť čo len na chvíľočku svoje domovy a mačiatko sa tešilo, že môže slobodne chodiť kam chce a kde chce, a nemusí sa pritom báť, že by mu niekto ublížil.

Nie je priateľ ako priateľ

Myška bola kamarátka všetkých zvierat. Kone, kravy, ovečky a barany sa s ňou často a veľmi radi rozprávali. Raz začula, ako sa blížia pytliaci a ponáhľala sa za svojimi priateľmi, aby ju pred pytliakmi ochránili. Všetci kamaráti sa zrazu začali vyhovárať a myške pomoc odmietli. Sami rýchlo utekali pred pytliakmi. Myška si musela poradiť sama, aby jej pytliaci neublížili. A tak bohužiaľ zistila, čo to znamená, keď sa hovorí, že v núdzi poznáš priateľa.

Zlý orol

Kedysi dávno žil v ďalekej krajine obrovský orol – bol najrýchlejší a najsilnejší zo všetkých vtákov v okolí. Jeho najobľúbenejšou činnosťou bol lov. Okrem toho sa veľmi zabával aj tým, že iba tak lietal za vtákmi a predstieral, že ich chce uloviť. Vtáky pred ním od strachu unikali čo im krídla stačili, a až vtedy keď boli takmer na smrť unavené, orol sa škodoradostne rozosmial a odletel. Bol to naozaj zlý a zákerný orol. Tešilo ho cudzie nešťastie. Ako to však už býva – raz na to doplatil. Jedného dňa popoludní zbadal na oblohe kŕdeľ holubov a okamžite ich začal prenasledovať. Už sa tešil na naháňačku, keď sa ozval výstrel, a za ním ďalší a ďalší. Na holuby totiž striehol poľovník a orol mu práve vletel priamo do rany. Mal však šťastie, strela mu iba škaredo poranila krídlo. Bolo to pre orla veľké ponaučenie – ranu si ešte dlho liečil a zmrzačené krídlo mu potom celý život pripomínalo jeho krutú zábavu.

Ako zostať priateľmi

Kdesi v hlbokých lesoch zachránil raz šakal život kráľovi zvierat levovi. Vytiahol ho totiž z nebezpečného močiara. Lev mu bol za to taký vďačný, že mu navrhol, aby zostal bývať v jeho brlohu. Chcel mu vyjadriť svoju vďačnosť tým, že bude šakal aj so svojou rodinou žiť pod jeho ochranou. Šakal súhlasil. Čoskoro im však začalo byť v brlohu tesno a aj levíčatám sa prestalo páčiť, že im šakal so svojou rodinou zaberá miesto. Šakal zavčasu pochopil, že sa skôr alebo neskôr situácia vyostrí. Poďakoval teda levovi za jeho láskavosť a navrhol mu, aby opäť žili každý sám. Múdry šakal nechcel riskovať ich priateľstvo. Lev bol síce prekvapený, ale nakoniec uznal, že šakal má pravdu. Obaja by boli veľmi neradi, keby bolo pre malicherné nezhody zničené ich priateľstvo. Aj najlepší priatelia si musia dať voľnosť a slobodu. Vďaka tomuto múdremu rozhodnutiu zostali priateľmi navždy!

Hlúpy osol

Starý kráľ lev bol už príliš unavený a slabý na lov. Nechcel však, aby to ostatní spoznali. „Nájdi mi toho najväčšieho osla v krajine a priveď mi ho," rozkázal lev šakalovi, jeho vernému služobníkovi. „A povedz mu, že bude mojím prvým ministrom," dodal lev. Šakal bol touto žiadosťou zaskočený, ale svojho kráľa samozrejme poslúchol. „Všetci predsa dobre vedia, že osol je hlúpe zviera, iba on sám to nevie," hundral si šakal cestou. Keď oznámil novinu oslovi, ten skoro od pýchy praskol a už sa hrdo niesol ku kráľovi. Osol bez toho aby zaváhal vstúpil ku kráľovi do jaskyne a ten ho hneď v okamžiku zhltol ako malinu. „Osol zostane vždy len oslom," pomyslel si šakal, keď odpratával zvyšky po hostine.

Ako sa tiger prestal báť

Žil raz jeden veľmi vznešený a silný tiger, ktorý sa nebál ničoho okrem kohútieho kikiríkania. Vedel, že je to hlúposť, ale nemohol si pomôcť. Keď s východom slnka začal kohút kikiríkať, tiger sa začal celý triasť od strachu už si aj labami zakrýval uši. Raz, keď sa tiger prechádzal po džungli stretol niekoho, kto sa mu silou vyrovnal. Bol to slon. „Slon, ty ani nevieš, ako ti závidím. Nič na svete nemôže vystrašiť také veľké zviera ako si ty," povedal tiger. „To sa teda mýliš. V uchu mi stále poletuje a bzučí muška, preto neustále mávam ušami, a doháňa ma to k šialenstvu." Odvtedy sa tiger nehanbil za svoj strach. Keď niečo také malé ako je muška môže strašiť a obťažovať také veľké zviera ako je slon, prečo by sa potom tiger nemohol báť kohútieho kikiríkania.

O kavke, ktorá sa chcela stať kráľovnou

Vtáky si volili svoju novú kráľovnú. „Prečo by nemohli zvoliť mňa?" povedala si kavka, rovnako hrdá, ako aj naivná. Neskôr v noci objavila opustené farebné pierka nejakého vtáčika a nalepila si ich na tie svoje. Na druhý deň sa nimi začala pýšiť pred svojimi kamarátmi. „Ako ti to pristane!" hovorili jej všetci. Vzápätí však začali kričať: „Tie pierka ti predsa nepatria, nie sú tvoje!" Vtáky sa na kavku vrhli a farebné pierka začali lietať vo vzduchu. Kavke nakoniec zostalo iba jej čierne perie a veľká hanba. Kráľovnou sa nikdy nestala.

Líšky sú veľmi hrdé

Raz sa na kraji lesa stretli mačka s líškou. Mačka líšku slušne pozdravila. „Nemala by si sa opovážiť ma ani osloviť," odsekla jej líška. „Som totiž najmúdrejšia zo všetkých zvierat, preto viem, čo všetko by mali zvieratá vedieť." Vtom sa z diaľky ozval lesný roh. Jedným skokom sa mačka schovala na strome, zatiaľ čo lovci líšku ulovili, keďže sa nemala kam skryť. Mačka to všetko videla a zamrmlala si popod nos: „Predsa len jednu vec nevieš. A to je liezť po stromoch."

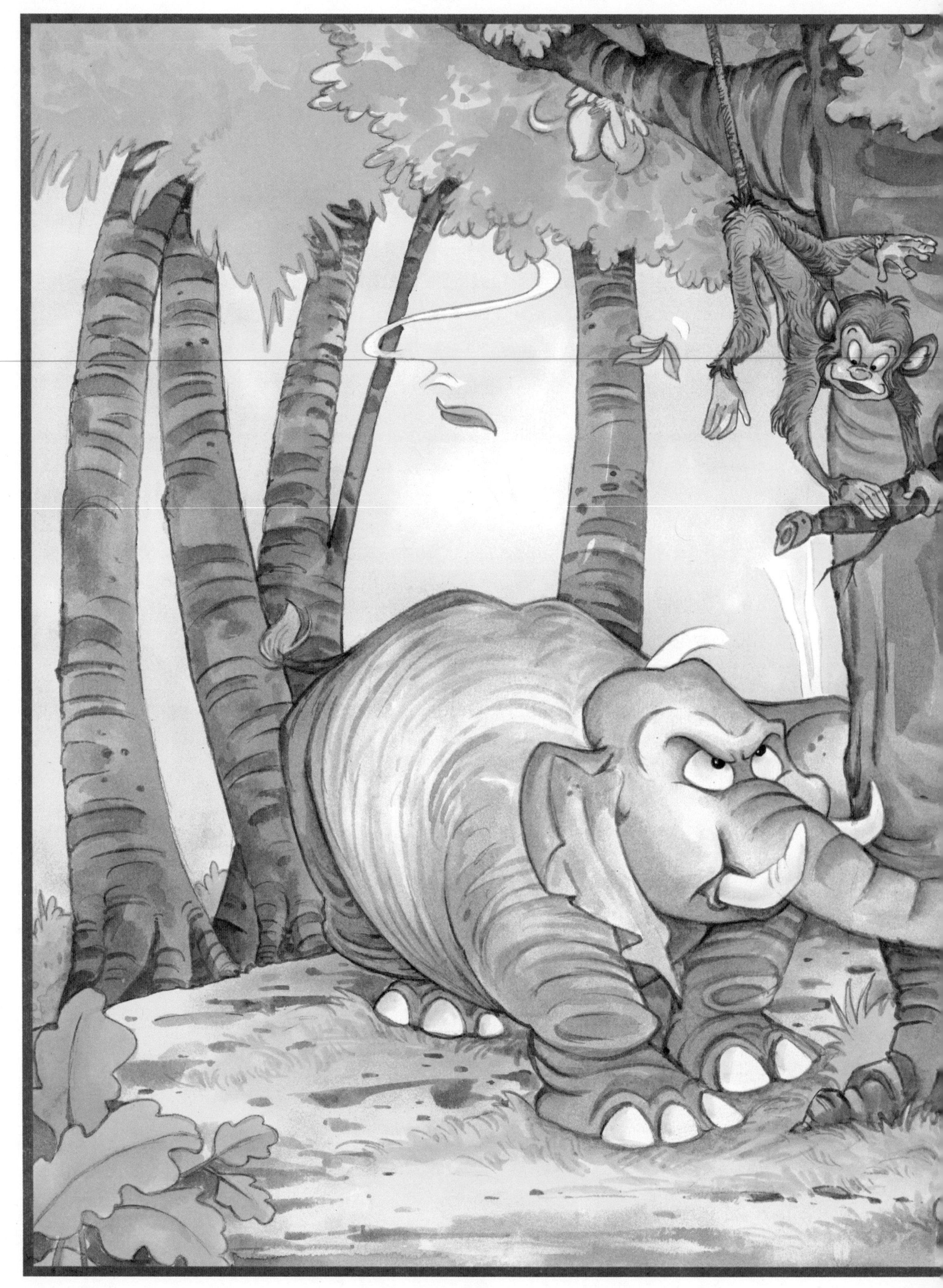

Maja a slon

Opička Maja mala veľký strach. Cez deň hádzala zo stromu do slona mango a stále ho triafala do hlavy. Slon bol pochopiteľne veľmi rozčúlený. Rozhodol sa, že počká pri strome celú noc aj deň, kým Maja zo stromu nezlezie dolu. Našťastie išli okolo korytnačka so zajacom, dobrí Majini priatelia, ktorí neváhali opičke pomôcť. Zajac bežal do mesta, zatiaľ čo korytnačka sa snažila upokojiť rozzúreného slona: „Slon, nemal by si sa toľko zlostiť. Maja je veľká kúzelníčka, môže sa premeniť na čokoľvek, dokonca aj na ducha, čo okolo seba rozsieva veľké iskry." To však na slona nijako nezapôsobilo. „Je to drzá opica, zaslúži si trest," zlostil sa slon. Zajac sa vrátil z mesta a medzitým, čo sa korytnačka rozprávala so slonom, priviazal mu zajac na koniec chvosta delobuchy. Len čo ich zajac zapálil, začali hlasno praskať. „Auu!" kričal slon a utekal preč ako najrýchlejšie mohol. Keď sa Maja, ktorá to všetko pozorovala konečne dosmiala, zliezla zo stromu dolu.

Čo myslíte? Nezaslúžila by si táto neposlušná opička lekciu slušného správania?

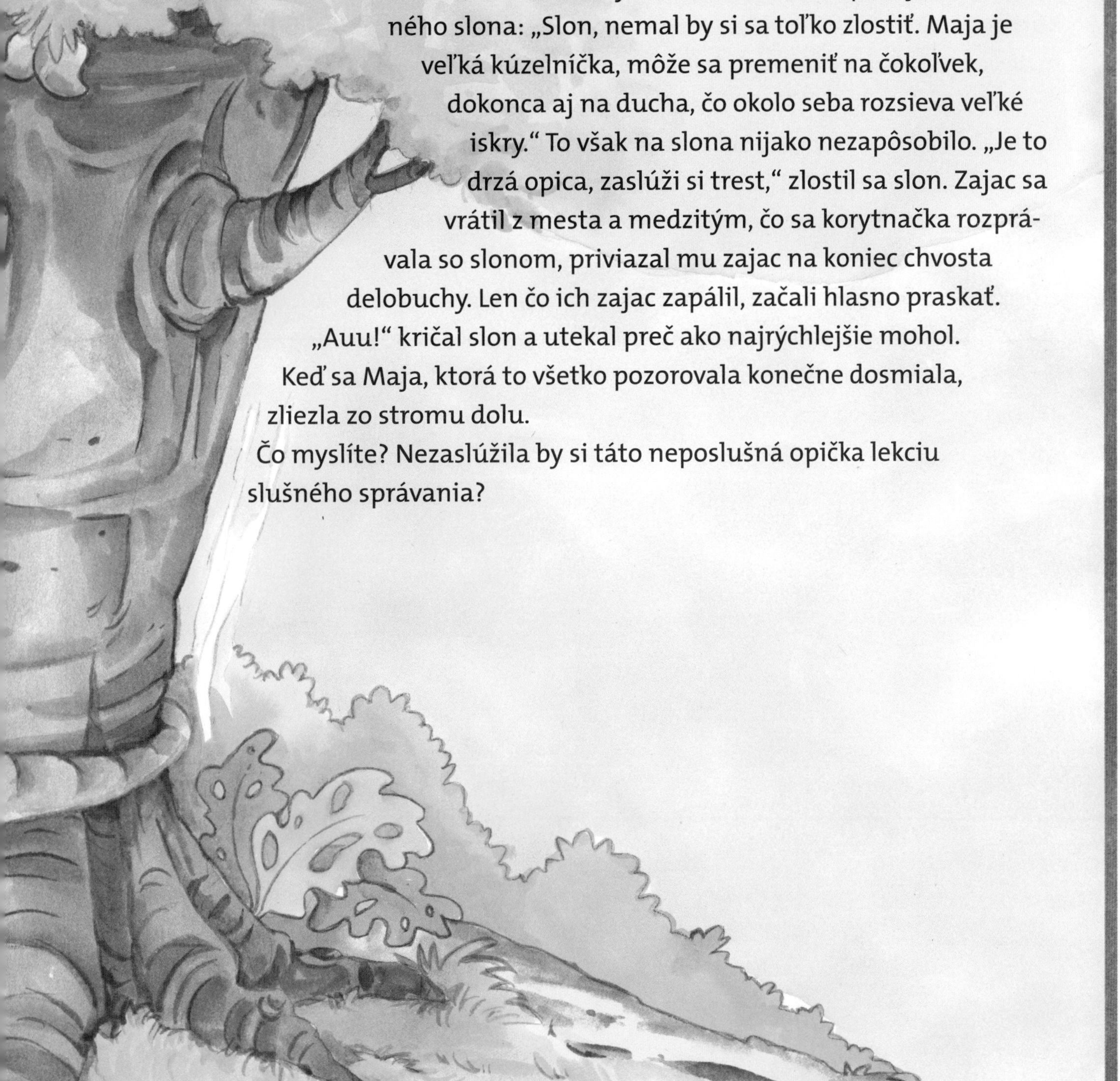

Pozvanie na večeru

Bola raz jedna opica, ktorá žila na kokosovej palme, kúsok od rieky. Každý deň sa delila o kokos zo stromu s krokodílom, ktorému veľmi chutilo kokosové mlieko. Krokodíl si vždy zobral niekoľko kokosových orechov aj pre svoju ženu. Jeho žena bola však prefíkaná a pažravá. Jedného dňa si povedala, že keď je to kokosové mlieko také dobré, tak musí byť aj tá opička, ktorá býva na kokosovej palme, veľmi chutná. Rozkázala svojmu mužovi, aby k nim pozval opicu na večeru. Krokodíl teda opicu na večeru pozval, aj keď nerád. Považoval ju totiž za svoju dobrú kamarátku. Opička pozvanie prijala. A ako tak plávali po rieke, povedal jej, že jeho žena ju pozvala na večeru len preto, aby ju zožrala. „Tak to si mi mohol povedať aj skôr," zlostila sa opica. Z ničoho nič si naraz spomenula, že vlastne keď ide k nim na večeru nemá pre nich ako darček žiadny kokosový orech a povedala krokodílovi: „Vieš priateľ môj, už je to zopár dní, čo na kokosovníku nie sú žiadne kokosy. Teraz sa živím iba citrónmi a tak k vám na večeru bez darčeka ani nemôžem ísť." Len čo to dopovedala vyskočila opica na breh a zmizla na kokosovníku, z ktorého už nikdy nezliezla. Krokodíl tak síce prišiel o svoju kamarátku, ale bol rád, že jej vlastne zachránil život.

Závistlivá koza

Jedného dňa sa zvieratá zišli na lúke, aby určili, kto z nich je najrýchlejší. Zajac bežal ako najrýchlejšie vedel, a preto mu k jeho výkonu všetky zvieratá zablahoželali. Koza mu však závidela úspech a snažila sa vymyslieť spôsob, ako si tiež získať takýto obdiv ostatných zvierat. Stavila sa so zajacom o to, kto bude rýchlejší. Keď preteky začali, koza bežala takým smiešnym spôsobom a ešte k tomu naozaj veľmi pomaly, že sa ostatné zvieratá pri pohľade na ňu nemohli prestať smiať. Možno nebola koza taká rýchla ako zajac, ale pozornosť všetkých si zaručene získala!

Vzájomná pomoc

Dve húsky a jedna korytnačka žili pri jazere. Boli najlepšími kamarátkami na svete. V jedno sparné leto bolo veľké sucho a jazero úplne vyschlo. Tri kamarátky sa teda rozhodli, že si vyrazia hľadať nový domov niekde blízko vody. Problém bol v tom, že na rozdiel od húsok korytnačka nevedela lietať. Húsky to však vymysleli múdro – dali korytnačke do zubov drievko a obe ho chytili za jeho konce. A tak leteli! Ľudia sa čudovali nad tým zvláštnym úkazom: „Kto to kedy videl, na oblohe sú dve húsky a jedna korytnačka!“ hovorili si. Vtom korytnačka uvidela ideálne miesto na bývanie a chcela to húskam povedať. Keď však otvorila ústa, pustila sa drievka a spadla z oblohy priamo do obrovského jazera. Keďže vie korytnačka plávať naozaj výborne, dostala sa na breh bez problémov, a tam už na ňu kamarátky húsky čakali. Potom, keď sa už všetky tri zabývali, začali spomínať na túto príhodu a ešte dlho, dlho sa tomu nemohli prestať smiať.

Prečo majú klokany dlhý chvost?

Kedysi dávno boli klokany a vombaty najlepšími priateľmi. Vombaty mali veľkú guľatú hlavu a klokany veľký, ale krátky chvost. Je všeobecne známe, že zatiaľ čo vombaty spia v tmavých norách, klokany rady spia na čerstvom vzduchu. Keď sa už blížila zima, klokan Karol začal ľutovať, že nemá žiadnu noru, do ktorej by sa skryl. V jednu studenú noc sa rozhodol, že požiada vombata Vilka o prístrešie. „Tu nie je miesto," odpovedal mu rozospatý vombat. „Dobre, tak si usteliem iba niekde v kúte," povedal Karol. Klokan sa však v noci vôbec nevyspal. Dážď mu kvapkal na hlavu a vietor fúkal do uší. Ráno mal z toho všetkého veľmi zlú náladu. Chcel sa pomstiť Vilkovi a hodil mu od zlosti do hlavy kameň. Preto majú odvtedy vombaty hlavu sploštenú. Vilka to veľmi rozčúlilo, a tak od hnevu pribil klokanov chvost k stromu. Keď sa potom snažil klokan od stromu oslobodiť, jeho chvost sa predlžoval a predlžoval, až bol pekne dlhý. A preto majú klokany dodnes dlhý chvost.

Pavúk, posol Mesiaca

Je to už veľmi dávno, keď Mesiac prišiel na to, že ľudia na Zemi sú bojazliví a smutní. Pomyslel si, že asi majú strach zo smrti. Rozhodol sa preto poveriť svojho kamaráta pavúka takýmto posolstvom: „Bež povedať ľuďom tento odkaz: povedz im, že aj keď jedného dňa zomrú, majú ešte pred sebou dlhý a krásny život." Pavúčik teda vyrazil na dlhú cestu. Mesiac je totiž od Zeme vzdialený veľmi ďaleko. Len čo dorazil na Zem, stretol zajaca a ten sa mu ponúkol, že správu ľuďom odovzdá. „Povedz ľuďom, že jedného dňa zomrú, ale ..." Pavúk ani nestihol dopovedať čo chcel, pretože zajac sa už nemohol dočkať kedy povie tú novinu všetkým. Odskackal preč a vedel vlastne iba polovicu odkazu od Mesiaca. Mesiac sa za to na zajaca veľmi nahneval a dal mu po nose. Preto majú zajace odvtedy taký ňufák.

Zázračný liek

Malá slonica Nana nebola vôbec spokojná. Narodila sa totiž s nohou neforemnou a väčšou, než bola tá druhá. Krívala a zvieratá sa jej za to posmievali. Raz jej niekto poradil, že vo vzdialenej dedine žije zázračný doktor vlk, ktorý by jej mohol pomôcť. Rozhodla sa, že sa za ním vydá, a dúfala, že jej tá dlhá cesta prinesie aj nejaký úžitok. „Môžem ti pomôcť," povedal jej doktor vlk. „Ale nie tak, ako si predstavuješ. Vypi túto medicínu," radil jej. Slonica sa napila, ale vôbec jej nechutila. Bola totiž dosť horká a navyše o chvíľu slonica zaspala hlbokým spánkom. Snívalo sa jej o dobrých zvieratách, čo ju mali veľmi rady. Keď sa zobudila, s prekvapením zistila, že sa okolo nej zhromaždili zvieratá, o ktorých práve snívala. Všetky tie zvieratá boli niečím odlišné: leopard nemal chvost, tiger mal iba tri nohy ... „Vitaj u nás," hovorili jej zvieratá. „Tu žijú všetci spolu a pomáhajú si." Odvtedy sa nikto nikdy slonici nevysmieval, konečne žila medzi svojimi.

Prečo majú labute dlhý krk?

Kedysi dávno mali labute krátky krk. Boli však také povýšenecké, že nedovolili ani kačkám, ani husiam, aby sa kúpali v ich jazere spolu s nimi. Zloba sa medzi nimi stupňovala, až raz kačky prišli k jazeru, kde boli práve labute, a začali ich ťahať za nohy. O chvíľku priplávali aj husi a tie začali labute hrýzť do krkov. Hoci sa labute urputne bránili, jedna vec im navždy zostala: krk sa im pritom predĺžil. Dnes majú labute dlhý krk, aby im neustále pripomínal, že sa nikdy nevypláca povyšovať sa nad ostatných.

Poriadne hladný lišiak

Jedného dňa lišiak Lojzo vbehol na dvor, kde práve pobehovalo dvadsať pekne vypasených husičiek. „No, dnes bude pekná hostinka," pomyslel si. Husi boli spočiatku dosť vyľakané, čoskoro sa však spamätali a hneď vymysleli plán, ako lišiaka prekabátiť. „Pekne prosíme, pán lišiak, skôr než si na nás pochutíš, dovoľ sa nám naposledy pomodliť," nariekali naoko husi. Lojzo sa rozhodol ich posledné želanie splniť. Prvá hus sa začala modliť a modlila sa celý deň. Na druhý deň sa začala modliť druhá hus, a tak to išlo ďalej. Keď už bola na rade ôsma hus, bol lišiak taký zoslabnutý a vyhladovaný, že sa radšej rozhodol nájsť si pod zub niečo iné.

Vak klokanej mamy

Klokanie mláďa Janko bolo vždy natoľko zaujaté hrou, že nikdy nepočulo, keď ho mama volala. Smialo sa, keď mu hovorila, že má oň strach. Rozprávala mu aj o tom, že okolitý svet je plný nástrah a nebezpečenstva. Jedného dňa, keď mama zasa všade hľadala svoje mláďa, narazila na starého vombata. „Ty si ma teda vyľakala," povedal vombat. „Keď však už si tu, odnes ma prosím ťa k najbližšej vode. Som veľmi smädný". A tak sa vombat vyšplhal na chvost klokanej mamy a spoločne doskákali k najbližšej mláke. Našťastie tam bol aj Janko. O chvíľu tam však dorazili aj lovci. Klokan Janko sa lepil na mamu a hľadal, kam sa má od strachu schovať. Chcel zaliezť do krovia, ale tam sa už skryl vombat. Jeho mama si však vedela stále poradiť. Zobrala svoje mláďa, strčila ho do vaku a rýchlo s ním odskákala preč. Keď už boli v bezpečí, povedala mu: „Vidíš? Keby sa ma niekedy počúval, vedel by si, že v mojom vaku si vždy v bezpečí." Malý klokan už vie, že mamička má vždy pravdu a že ju musí počúvať. Veď predsa neexistuje bezpečnejšie miesto, ako práve pri mamičke.

Psy, mačky a myši

Možno tomu neuveríte, ale kedysi dávno boli mačky a psy priatelia. A tento príbeh rozpráva o tom, ako sa stali nepriateľmi. Raz sa dohovorili na tom, že psy budú spať vonku a mačky v dome. Túto dohodu potvrdili tým, že otlačili svoje labky na papier a zmluvu uložili na tajné miesto na povale. O niekoľko týždňov neskôr sa psom prestalo páčiť, že musia spať vonku v zime a vlhku, zatiaľ čo mačky boli pekne v teplom a suchom dome. Psy chceli zmluvu zmeniť. Mačky ju išli hľadať na povalu, ale zmluva tam už nebola. Myši ju totiž našli ako prvé, pohrýzli ju na malé kúsočky a urobili si z nej mäkulinké hniezdo. Keď to mačky psom povedali, psy sa veľmi nazlostili a vyštekali mačky z domu von. Od tých čias sa spolu stále hádajú.

Zebra a jej pruhy

Kedysi dávno boli zebry celé biele. Ľuďom sa veľmi páčili a chceli na nich jazdiť ako na koňoch. Museli ich však najprv pochytať. V jedno popoludnie sa malá zebra zatúlala do jednej dediny. Keď tam prišla, uvidela, ako si ľudia plánujú lov na zebry. Veľmi sa vydesila a dala sa na útek. Bežala ako len najrýchlejšie vedela. Cestou uvidela čerstvo natretý plot a napadlo jej, že keď sa zamaskuje, ľudia ju nespoznajú – a to sa jej aj podarilo. Preto sú dnes všetky zebry čiernobiele, aby ich už ľudia nikdy nechceli skrotiť.

Chudák lišiak

Raz skoro ráno vbehol lišiak do tŕnistého krovia a nešťastne sa v ňom zamotal. Snažil sa z krovia vyslobodiť, ale aj keď robil čo mohol, dosiahol len to, že si do krvi poranil labky. A ešte aby toho nebolo dosť, priletel k nemu roj komárov a začal ho nemilosrdne bodať. Vo chvíli, keď už bol z toho pološialený, išiel okolo jeho kamarát ježko. Ponúkol sa, že komáre pochytá, lebo sú jeho obľúbenou lahôdkou, a tým pomôže lišiakovi zmierniť jeho utrpenie. „To je zbytočné," povedal lišiak. „Aj tak potom priletia ďalšie a ďalšie komáre a budú ma bodať ďalej," bedákal lišiak. Ježko sa však nevzdával. Pochytal všetky komáre a svojím ostňami pokrytým telom rozhŕňal tŕnistý ker dovtedy, kým lišiaka nevyslobodil. Keď potom ešte lišiakovi poošetroval rany a dal sa mu najesť a napiť, bol lišiak ježkovi nadosmrti vďačný. Uvedomil si, že kým on odovzdane trpel a myslel si, že nemá cenu bojovať, jeho priateľ sa nevzdal a dokázal mu, že sa nikdy nemá bez boja vopred vzdávať.

Keď Slnko veľmi svieti

Kedysi dávno vychádzalo Slnko veľmi skoro, ale ani zďaleka nesvietilo tak ako dnes. Svoje zvyky zmenilo vtedy, keď sa pobilo so zajacom. Každý deň v týždni žiarilo Slnko doširoka – doďaleka. Vysušovalo prúdy riek, bystrín, ba aj kvietky umierali od smädu. V tých časoch bol biely zajac veľmi odvážny. Správanie Slnka ho veľmi hnevalo. Preto sa zaprisahal, že sa Slnku pomstí v mene prírody, ktorej ubližuje. Ozbrojil sa lukom a šípom a vyrazil na východ, aby sa stretol so Slnkom hneď ako ráno bude vychádzať. Zajac trafil Slnku priamo do srdca. Toto zranenie spôsobilo, že Slnku vytryskla zo srdca láva, ktorá zapálila trávu a stromy na zemi. Zajac utekal pred ohňom a schoval sa do krovia, ktoré ešte nezačalo horieť. Oheň síce po čase vyhasol, ale biely zajačik bol zrazu od dymu úplne hnedý. V tej chvíli stratil všetku odvahu, ktorú predtým mal. Celá zem bola spálená. Slnku to prišlo ľúto, priznalo svoju chybu a od tých čias hrialo iba tak, aby príroda v pokoji rozkvitala.